Le Major tricolore

DU MÊME AUTEUR

ROMANS

MÉRIDIENS, 1945 (Plon).
EURIQUE ET AMÉROPE, 1946 (Plon).
LES CARNETS DU BON DIEU *(Prix Interallié)*, 1947 (Plon).
L'ÉTERNEL SECOND, 1949 (Plon).

ESSAIS, RÉCITS

PASSEPORT POUR LA NUIT OU LE ROI SOMMEIL, 1946 (Plon).
SONIA, LES AUTRES ET MOI *(Prix Courteline)*, 1952 (Plon).
COMMENT VIVRE AVEC (OU SANS) SONIA, 1953 (Plon).
LES CARNETS DU MAJOR THOMPSON, 1954 (Hachette).
LE SECRET DU MAJOR THOMPSON, 1956 (Hachette).
VACANCES A TOUS PRIX, 1958 (Hachette).
UN CERTAIN MONSIEUR BLOT, 1960 (Hachette).
LE JACASSIN, *nouveau traité des idées reçues*, 1962 (Hachette).
DANINOSCOPE, 1963 (Presses de la Cité).
SNOBISSIMO, 1964 (Hachette).
LE 36ᵉ DESSOUS, 1966 (Hachette).

EN COLLABORATION AVEC D'AUTRES AUTEURS

SAVOIR-VIVRE INTERNATIONAL, 1951 (Odé).
LE TOUR DU MONDE DU RIRE, 1953 (Hachette).
TOUT L'HUMOUR DU MONDE, 1958 (Hachette).

Pierre Daninos

Le Major tricolore

REDÉCOUVERTE DE LA FRANCE ET DES FRANÇAIS
PAR LE MAJOR
W. MARMADUKE THOMPSON

HACHETTE

Il a été tiré de cet ouvrage
5 000 exemplaires sur papier
vergé d'Arches des Papete-
ries Arjomari, numérotés de
1 à 5 000.

Figurine de WALTER GOETZ

I

COMMENT PEUT-ON ÊTRE FRANÇAIS ?

L E GÉNÉRAL DE GAULLE l'a clairement expliqué (que l'on veuille bien excuser, au départ, ou plutôt dès mon arrivée, ce pléonasme : le général, même s'il ne s'agit pas de dévaluation, parle toujours d'or) ; la grande *mutation*[1] dont dépend notre accession au Marché commun devant être le fait, non d'une négociation, mais de l'action et de la volonté du *grand peuple anglais*[2], j'ai, infime parcelle de ce tout

1. Un mot qui fait fureur et montre à quel point votre pays a — peut-on dire ? — « changé » en mon absence. *(Note du Major.)*
2. En français dans le texte, car en anglais on n'ose même plus l'écrire. *(Note du Major.)*

réduit à bien peu, décidé de m'y mettre en essayant de devenir, sinon Européen, du moins Français.

Choquante résolution, diront certains, et même beaucoup de mes concitoyens, pour un vieux sujet depuis si longtemps au service de Sa Gracieuse Majesté. Passe encore de vieillir, mais trahir à cet âge ! Que je sois donc damné si, dans sa miséricorde, le Tout-Puissant ne m'en est pas témoin : je ne tente cet affolant avatar que dans l'esprit désintéressé de votre Général — pour le bien commun et le Marché du même genre.

Et puis... *Good Heavens*[1] ! Cet essai de métamorphose d'un fils du vieux lion décrépit en coq qui a, lui aussi, perdu beaucoup de glorieuses plumes mais se dresse fièrement sur ses airs gaullistes, ne constitue-t-il pas une sacrée *mutation ?* De deuxième grandeur *of course,* la première revenant de droit à la France, mais n'est-ce pas la pointure qui nous convient maintenant ?

Sans doute aucun moment n'est bon pour

---

1. « Grands dieux ! »

une si téméraire entreprise ; les malheurs et
les nécessités des temps actuels me permettent
cependant de l'envisager avec moins d'effroi.
Aux yeux d'un ex-Major de l'armée des Indes,
ce qui se passe dans la Maison Mère de l'Empire comme dans ses anciennes succursales est
renversant ! Sur cet incroyable spectacle, je
reviendrai. Mais ce qui a lieu au-dehors n'est
pas pour nous moins affligeant. *What a
pity !* Notre demeure était le monde. On ferme !
Pareils à ces propriétaires qui ne peuvent plus
subvenir à l'entretien de leur château, nous
vivons repliés dans une aile, réduits à mendier
à la porte des communs sans même être certains d'y être un jour reçus. Né dans un
Empire sur lequel le soleil ne se couchait
jamais, j'ai la pénible impression d'être
condamné à vivre dans un îlot au-dessus duquel — c'est un fait — il reste toujours couché.
O déchéance du lion superbe, auquel on a
arraché les Indes, l'Égypte, le Soudan, et qui
ne retient plus dans ses griffes relâchées que
les Fidji et Sainte-Hélène !... Petite île, c'est
nous ! Si votre Général n'était pas là pour nous
rappeler que nous sommes un grand peuple,

personne n'y penserait plus. *I do*[1]. Je fais partie de cette espèce d'homme en voie d'extinction qui ne sauraient lire dans un journal :
*Retrait accéléré des forces britanniques à l'est
d'Aden* sans que le sang se glace dans leurs
veines — comme vous dites dans votre si
logique langage pour signifier que cela ne vous
laisse pas froids.

Non seulement nous ne sommes plus nulle
part, mais nous ne savons plus où nous mettre :
nous nous sommes retirés de Zanzibar, nous
allons nous retirer de Singapour et, à voir nos
villes peuplées de Portoricains, d'Indiens, de
Guinéens, de Malais, de Maltais, je me demande parfois si nous allons garder un coin
où pouvoir nous réfugier. Pour un Major,
même retiré, quel drame ! Il est des nuits où
mon cauchemar empire — si j'ose encore employer ce mot — au point que je vois les mers
recouvrir notre île. Sans personne d'autre,
pour sombrer dignement, pavillon haut, selon
les saines traditions de la *Navy,* que des
éphèbes émasculés.

---

1. « J'y pense. »

Vous aussi, je sais... avez dû abandonner les plus beaux fleurons d'un empire-peau-de-chagrin. Au moins vous reste-t-il une grande voix qui vous parle sans relâche de votre grandeur et vous berce de ce mot câlin que nos gouvernants veulent rayer de notre vocabulaire. Et vous savez encore ce que vous êtes puisque, le Général *dixit, la France sera toujours la France !*

Nous, nous ne savons même plus ce que nous sommes.

Puisque le Général le dit, qui persiste à nous considérer comme un bateau mouillé au large de vos côtes, nous ne sommes — même ancrés à quelques minutes de chez vous — pas Européens. Malgré notre inclination naturelle à nous laisser — toujours selon le Général — pousser par le courant vers la haute mer, et les assertions de ceux qui nous considèrent comme le 51e État de la bannière étoilée, nous ne sommes tout de même pas Américains. L'idée suivant laquelle l'absorption régulière de thé de Chine ou de haricots du Kenya nous rendrait Afro-Asiatiques n'effleure personne. C'est donc dans la plus pénible incertitude de ce que je suis que j'ai décidé de devenir ce que je n'étais pas.

J'aurais pu, bien sûr, essayer de devenir Européen en bloc. Mais puisque c'est la France qui a montré le plus d'empressement — je dirais *ténacité* si vous ne nous réserviez ce mot — à nous maintenir fermée la porte de l'Europe, puisque nous comptons chez elle tant d'amis qui n'hésitèrent pas à faire chez nous, logés-nourris-blanchis, de longs et glorieux séjours pendant la guerre, nous trouvant alors de très plausibles partenaires, il est logique que ce soit par elle que je commence, ou plus exactement poursuive, mon initiation.

⚜

Ah ! comme je voudrais être Français !

Rude *goal* que de tenter d'être Gaullois. C'est même pour un Anglais la quadrature du cercle, dans la mesure où ce cercle est un club réservé à six membres.

Comment faire ?

Oui, comment faire — sans être... *sorry*... caméléon — pour devenir tour à tour en un demi-siècle d'existence bleu horizon et rouge

popu, germanophobe et germanophile, anglo-
phile et anglophobe, pétainiste et gaulliste,
américanophile et américanophobe, jusqu'au-
boutiste et capitulard, colonialiste et émanci-
pateur, casseur de Viets et caresseur de Mao?...
Comment faire, ce faisant, pour déclarer en
toute bonne foi les Italiens versatiles, les
Anglais flottants et les Russes toujours prêts à
retourner leur casaque? Comment faire pour
embrasser à bouche que veux-tu les «blindés
de la délivrance» et brûler la bannière que
naguère on brûlait de voir arriver? En bref,
comment être à l'image de M. Requillard qui
descend me voir le matin en me susurrant :
«Tout homme a deux patries, la sienne et puis
la France» — et monte le soir à l'Étoile pour
crier «La France aux Français»?

La tentative, à première vue, paraît désespérée.

Je vais tout de même tenter ma chance.
Ready? Play! Ou, comme on le dit en bon
français à votre TV : *Top, c'est parti!*

La meilleure preuve que ce n'est pas com-
mode d'être Français, c'est que les Français
eux-mêmes n'y arrivent pas toujours.

Quand le premier des Français confie à l'un de ses interlocuteurs que les Français sont des veaux[1] et parle de France *vacharde,* il est bien évident que, malgré l'importance qu'il reconnaît à la vocation agricole, ce troupeau ne correspond que vaguement (ma moitié de fils française dirait *vachement*), à «certaine idée» de la France que le Général s'est toujours faite.

Il y a donc Français et Français. Il importe de distinguer le veau du vrai.

Combien de vrais au juste sur cinquante millions. Le Général ayant été reconduit au pouvoir avec 54 pour 100 des voix, dois-je en conclure, comme le font de mauvais esprits, que si je croise un Français dans la rue il y a un peu moins d'une chance sur deux pour que ce ne soit pas un bon? Sûrement pas. Ce serait folie.

Mais descendons du général au particulier pour aller rendre visite à mes amis Quinchart.

---

1. Si l'on peut en croire l'expert J.-R. Tournoux: «*Les Français sont des veaux,* dit le Général, *la France entière est un pays de veaux.*» Citation faite à plusieurs reprises dans *La Tragédie du Général.*

M'étant égaré un jour à la recherche de leur maison de campagne, à quarante kilomètres de Paris, je demandai mon chemin à un jeune cultivateur :

— Quinchart, Quinchart... tu connais ça, toi, Quinchart? dit le jeune homme à un paysan qui devait être son père.

— Ah! oui. Ce sont les étrangers qui s'sont installés au bas de la côte, de l'autre côté de la rivière, il y a six mois...

— J'ai peur, dis-je comme nous disons toujours sans rien craindre, que vous commettiez une erreur... M. Quinchart est Français, sa femme aussi.

— Possible, mais enfin c'sont des Parisiens... Pour nous c'est tout comme, c'est pas des gens d'ici, quoi!

※

Quant à M. de Stumpf-Quichelier, président-directeur général d'une importante entreprise, comment pourrais-je douter qu'il vive en France à l'étranger puisqu'il ne cesse de se plaindre de ces gens qui ne parlent pas la même langue et auxquels *il-faut-c'est-bien-simple-tout-apprendre* ?

— Pourtant, lui fais-je remarquer, votre bras droit, M. X... ?

— C'est un Lyonnais, vous voyez ce que je veux dire ?

— Et le directeur des services techniques...

— C'est un c...

— Mais le chef du département publicité ?

— Nul !...

— Et tous ces jeunes hommes sortis des grandes écoles ?...

— Incapables et prétentieux !

J'ai donc la pénible impression que M. de Stumpf-Quichelier est condamné à vivre dans un pays de cinquante millions d'incapables moins un. Quant à savoir comment la France, avec tant de millions d'imbéciles, est le pays le plus intelligent du monde, j'avoue ne pas comprendre – mais les Anglais sont parfois si stupides ! Qu'il s'agisse de M. de Stumpf-Quichelier ou d'un autre, il est clair que le vrai Français, celui qui vous parle, est entouré de faux jetons, de roublards, de margoulins, de combinards, de *pauv'types,* d'usurpateurs qui usur-

pent, entre autres choses, la qualité de Français. Ce qui explique l'un des refrains les plus
entendus dans cette riche nation :

— Pauvre France !

...tout le malheur de ce beau pays qui ne
demande qu'à être heureux venant du fait
qu'envié par l'étranger pour son fameux rayonnement, par les peuples du Septentrion et des
Tropiques pour son incomparable situation
géographique, par des peuplades dénuées de
formes précises pour son idéal hexagone, par
les couturiers de Londres et de New York pour
son *chic* inné, par le monde entier pour ses
vins, ses trois cent cinquante fromages, ses
femmes, son littoral et son arrière-pays, il est
au surplus habité par cinquante millions de citoyens qui ne le méritent pas — à part votre
interlocuteur, lequel, en s'écriant : « Pauvre
France ! » sous-entend que s'il n'y avait que
des Français comme lui, tout irait autrement
mieux.

꧁꧂

Que ce pays exceptionnel soit un pays
d'exceptions, la facilité avec laquelle on tombe

sur elles le prouve bien. Non seulement personne ne peut nier que l'homme qui est à sa
tête soit exceptionnel, mais les exceptions cou-
rent les rues, les routes surtout.

Cent fois, deux cents peut-être, mon traducteur et ami m'a emmené avec lui dans sa voiture vers sa demeure campagnarde. Que je
sois pendu si je mens : il ne nous est *jamais*
arrivé de respecter les indications de ralentis-
sement des panneaux, *60... 50... 40...,* sous le
charmant petit tunnel qui mène à votre grande
autoroute du Sud, sans être dépassés par deux,
cinq, dix voitures. Étrangères ? Non pas. Tout
ce qu'il y a de plus 75, 92 ou 78. Mais il est
clair que ces conducteurs exceptionnels ne se
sentent pas soumis à la règle. De même il suffit
de se promener un dimanche après-midi dans
une de vos belles forêts où l'interdiction de
jeter des papiers gras est seulement exprimée
dans la langue du pays, pour en conclure que
ce ne sont pas des Français qui ont déjeuné
sur le terrain.

Quant à vos lavabos, qu'ils soient de trains
ou de bistrots, les instructions, sur plaques
émaillées, suivant lesquelles ont est prié de les

laisser dans l'état de propreté où on les a trouvés en entrant, m'ont toujours rendu, je dois dire, perplexe sur ce qui me reste à faire quand j'en ai terminé. Maintenant j'ai compris : un *vicious* sort veut sans doute que j'y aille toujours après un de ces damnés étrangers qui ne savent pas lire le français et souillent vos forêts et vos chasses. Ah ! comme je comprends mieux maintenant votre sifflante exclamation *salétranger !*

Mon premier pas est fait : je commence à partager votre xénophobie.

꙲

Xénophobie qui actuellement, reconnaissons-le, ne manque pas d'élévation. On n'en est plus à se brouiller avec Monaco ou Andorre. On vise plus haut.

La politique de grandeur exige de la France, volontiers *anti,* qu'elle ne s'attaque plus à des minorités mais à des majorités. C'est ainsi que, prenant la défense des Noirs aux États-Unis, des Québécois au Canada, des Vietcongs en Indochine, elle devient tout bonnement antiaméricaine, antibritannique, voire antiuniverselle, je veux dire antiMachin. Elle pourrait aussi bien devenir demain anticanadienne ou antisoviétique, si l'on sait la prendre.

Cela pour le Pouvoir. Car il faut bien noter que, au moment où il fait tout pour *titiller* la vieille corde anti-anglo-saxonne, jamais les particuliers, les sociétés, la publicité ne se sont davantage anglo-saxonnisés. Cela fait partie des paradoxes du pays de la logique qui, au au moment où il se met à dos la moitié de l'univers, proclame qu'il ne se connaît pas d'ennemi. Le Français peut manifester en faveur des Noirs en Alabama, cela ne l'empêche pas de rester chez lui raciste à sa manière. M. Pochet, M. Taupin, M. Requillard sont visiblement révoltés par certaines images qui montrent la répression des émeutes noires aux États-Unis. Ce n'est pas eux qui auraient quoi que ce soit à refuser à ces pauvres gens de couleur ! Jusqu'à un certain point, bien sûr : leur fille. *Rather curious...* Pour les uns comme pour les autres, la question noire semble avoir des incidences possibles sur le destin de leur progéniture et menacer leur fille.

— Ah ! je ne dis pas, disent-ils, que si ma

fille m'annonçait demain qu'elle voulait épou-
ser un Noir, ça me ferait plaisir ! Je ne suis pas
raciste, mais tout de même... il y a des limites !

Limite des nomades, limites de la bienséance, que *bicots, négros* et *romanos* sont priés
de ne point franchir.

※

J'étais hier dans un de vos chers bistrots du
quartier de Grenelle où il y avait quelques
Nord-Africains et beaucoup de Français. L'un
de ceux-ci, se frayant un chemin le long du
zinc, heurta le bras d'un homme à la peau
basanée dont l'apéritif se vida du même coup.
Suivit un échange de propos qui s'envenima
rapidement. Du *Pourriez faire attention !* on en
arriva vite au *Vous n'avez qu'à rester chez vous !*
Finalement, l'Algérien, n'ayant pu obtenir
remboursement de son verre, dit au Français
de choc :

— Oh ! et puis m... ! Vous êtes un c... !

— C... peut-être, mais c... Français !

J'avoue que cette façon de décliner son
identité me laissa éberlué. Jamais un Anglais
n'exciperait ainsi de sa qualité... Moi-même,

comment oserais-je jamais m'en prévaloir de la sorte ?

Car enfin, de deux choses l'une :

— où l'on ne saurait être fier d'un hasard et de quelque chose que l'on n'a pas réussi soi-même ;

— ou il faut bien admettre qu'il y a dans le monde des gens assez futés pour exiger avant de sortir du ventre de leur mère : «Je veux être Blanc, catholique et Français !»

Alors là, vraiment, *chapeau !* Je ne me sens pas de force à lutter avec ce genre de champions. Il doit me manquer de naissance quelque chose d'essentiel pour être à votre image.

Tant il est vrai que le premier avantage d'être Français, c'est de ne pas être étranger.

II

« SI TOUT LE MONDE... »
ou LE PAYS DE LA ROGNE

Qu'IL ME RESTE un sacré bout de chemin à faire pour être capable de vous rejoindre — je n'en doute pas.

Nous sommes un pays d'humour. Vous êtes un pays d'humeur. Le premier est parfois difficile à saisir. La seconde est souvent impossible à suivre. Je ne veux pas parler seulement de ces moments de fièvre maligne où M. Taupin est capable de défiler aux Champs-Élysées derrière l'étoile de David en clamant *« Israël avec nous ! A bas les Arabes ! »* sans se souvenir que son grand-père, officier antidreyfusard, hurlait autrefois « Vive l'armée ! A bas les Juifs ! » et sans prévoir qu'un an plus tard les agissements d'un Cohn-Bendit le feront retomber dans les mêmes excès...

Il y a là, on l'admettra, une très particulière *démarche* – comme vous dites depuis que vous faites faire du *footing*[1] à votre pensée. Mais je reviendrai plus tard sur ces périodes de *pointe*. Pour l'instant je veux essayer de vous suivre en *vitesse de croisière*. C'est déjà assez malaisé.

Well... Je suis tout à fait navré d'avoir à poser la question, mais il y a des moments où je me demande si le pays de la bonne humeur n'est pas généralement de mauvais poil. Quelquefois, la nation entière m'apparaît *en pétard*.

Contre qui, grands dieux ? Aucune armée ennemie ne menace plus ses frontières, aucune troupe étrangère n'occupe plus son sol depuis que les derniers éléments anglo-saxons ont été fermement priés d'évacuer l'hexagone, les touristes mêmes se font rares et la France, enfin, appartient aux Français. Alors, contre qui manifestent-ils leur *grogne* et leur *rogne* ?

---

1. Ce mot de consonance très britannique n'existant pas en anglais, il est logique que j'aie du mal à vous emboîter le pas. *(Note du Major.)*

Contre eux-mêmes.

A défaut d'ennemi héréditaire — dont ils peuvent difficilement se passer — les Français s'en sont trouvé un, indéracinable, car ils ne sauraient le bouter hors de France qu'en se fuyant.

How strange !

Le Général, quand il n'est pas furieux contre les Américains ou les Anglais, est furieux contre les Français. Les Français, lorsqu'ils ne sont pas en pétard contre le Général, le sont contre ses ennemis. Les socialistes sont furieux contre les communistes. Les communistes contre les extrémistes. Les extrémistes et les communistes contre la bourgeoisie capitaliste. La grande bourgeoisie contre les intellectuels de gauche. Les intellectuels de gauche contre les petits bourgeois. Les petits bourgeois contre les gros. Et tout un pays embourgeoisé peste contre le mot même de *bourgeois* au point qu'un bourgeois qui se dit bourgeois est à peu près aussi difficile à trouver qu'un conservateur avouant : *Je suis de droite.*

Les paysans, furieux contre le reste du pays, ne sont pas les derniers à participer à ce festival de la rogne, mais je suis bien obligé de constater que, dans la vie quotidienne, les gens de vos campagnes, échappant à la bousculade, sont moins électrisés que ceux de la Ville Lumière.

※

« Paris-n'est-pas-la-France ! » me répète souvent M. Taupin. Puisse-t-il avoir raison !

Si, pour *opérer ma mutation* et satisfaire au vœu du Général, je limitais mes avatars à ma seule métamorphose citadine, j'aurais déjà, comme il le dit, *bien du plaisir...*

Parce que, entre nous, pour être vraiment Parisien, il faut être d'une drôle d'humeur − et chacun sait qu'il y a autant de *méchant* dans ce *drôle* que de désagrément supposé dans le plaisir auquel je viens de faire allusion.

Je n'en donnerai pour preuve que ma première journée dans votre capitale.

Elle avait, je dois l'avouer, aussi bien commencé que possible pour ma reconversion[1] − c'est-à-dire très mal. J'étais à peine en train d'achever dans ma chambre d'hôtel le très

_____

1. « Conversion » suffirait... du moins suffisait... mais j'essaye de me mettre à votre nouveau jargon. *(Note du Major.)*

petit déjeuner national — tellement plus salutaire pour la ligne, avec son croissant et son
café au lait, que nos damnés harengs, nos
œufs au bacon et notre porridge — quand des
coups redoublés frappèrent à ma porte. Avant
que j'eusse dit : «Entrez!» le garçon était
devant moi, ex-officier de Sa Majesté aussi nu
à cet instant que votre Général souhaiterait
le voir, dit-on, pour passer le conseil de révi-
sion du Marché commun. Il venait de toute
urgence *chercher le plateau,* comme si c'était
le seul dont ce grand hôtel disposât. C'est là,
je dois le dire, l'un des grands mystères de la
merveilleuse hôtellerie française. Faut-il admettre que de sales étrangers comme moi
subtilisent les plateaux du petit déjeuner?
(Dieu m'est témoin que je n'ai jamais franchi
la frontière de votre très accueillant mais inhos-
pitalier pays avec un plateau sous le manteau.) Ou bien que ce pays si riche en plats
souffre d'une déplorable pénurie de plateaux?
  Je m'y fais. Comme je m'habitue à faire ma
toilette au-dessus d'un lavabo exigu qui semble
avoir été conçu plutôt pour un enfant que pour
une grande personne. Les Français, malgré

leur grandeur, seraient-ils en moyenne d'une taille inférieure à la nôtre ? Le sport doit nous développer bêtement. Et vos baignoires, si elles ne permettent presque jamais à un Major de s'y allonger de tout son long, raccourcissent ses flânocheries en lui épargnant tout ramollissement.

Les choses en étaient là, et je n'étais guère plus avancé qu'elles, lorsque, m'étant lavé à la française, je veux dire à la sauvette, et à la savonnette, je pensai brusquement que j'avais à téléphoner. La standardiste gentillette me passa coup sur coup trois communications avec une telle prestesse que je la remerciai en faisant avec elle un petit brin de causette :

— Vous avez déjeuné, vous, au moins ! me dit-elle. Mais moi, monsieur, je suis de service depuis 7 heures et je n'ai encore rien pris...

Pris de compassion, je demandai par téléphone au bar que l'on voulût bien apporter de ma part à cette standardiste si peu standard un expresso sinon bien français, du moins bien tassé.

— Un café à la téléphoniste ? me répondit cette fois une voix beaucoup moins avenante.

Ben dites donc, si tout le monde nous demandait ça !

C'était le premier *si tout le monde* d'une vingtaine que je notai au long de cette journée. Quelques instants plus tard, je me trouvais dans le métro, face à un poinçonneur chez lequel je crus déceler une petite joie malsaine à me fermer son portillon au nez alors que la rame avait à peine débouché à l'entrée de la gare :

— Trop tard ! murmura-t-il avec un rictus de satisfaction.

— Puisque je suis seul et qu'il n'y a personne ni derrière moi ni sur le quai... peut-être pourriez-vous me laisser passer ?

— Ah ! Si tout le monde me demandait ça !

J'aurais pu lui répondre que si, précisément, je lui demandais ça, c'est parce que personne, à cet instant, dans cette gare déserte, ne le lui demandait. Mais quelque chose me retint (...peut-être la pudeur de me surprendre à solliciter un passe-droit ?). Pourquoi gâcher la joie de cet homme, un des rares bons petits moments de sa sombre journée ?

Une heure après, cette fois en autobus, je

m'aperçus avec regret que je n'avais pas de monnaie pour acheter trois tickets. Comme je lui tendais un billet de dix francs, le receveur me dit :

— Vous vous rendez compte ?... Si tout le monde réglait sa place avec un billet de mille !

Je vis aussitôt ce pauvre receveur assailli par dix millions de bras tendant un billet de mille francs et j'éprouvai pour lui la plus vive commisération. Il marmonna derrière moi en prenant je ne sais qui à témoin : « *C'est vrai ça... Ces étrangers, si y peuvent pas faire comme tout le monde y n'ont qu'à rester chez eux !* » et je commençai à comprendre que je ne ferais jamais comme personne.

Justement parce que je n'étais pas du pays. Il doit aussi y avoir dans mon faciès, peut-être à cause de ces incisives qui prennent volontiers l'air sur ma lèvre inférieure, quelque chose qui fait croire aux Français que je rigole doucement alors que je suis très sérieux. J'étais donc prêt à mettre la mauvaise humeur que j'inspirais sur le compte de cette malformation typiquement britannique lorsque dans l'après-midi, en taxi avec M. Taupin, j'entendis le chauffeur répondre à mon ami, qui lui avait demandé de l'attendre trois minutes devant un magasin :

— Si tout le monde me demandait de rester là trois minutes, j'y passerais ma journée ! Je connais la musique !

Décidément, étranger ou non, c'est le même prix... Le *Si tout le monde...* n'est sans doute qu'un effet du célèbre esprit de déduction des Français : le chauffeur de taxi auquel M. Taupin demande de l'attendre trois minutes fait aussitôt de cette exception une règle absolue à laquelle il devra se plier. Il se voit attendant trois minutes deux cents clients et, forcément, sa patience est à bout.

Ce sens logique peut même aller beaucoup plus loin. J'étais, il y a peu, avec les Taupin, au château de Versailles. Dès l'entrée, la préposée observa d'un œil peu complaisant les chaussures de Mme Taupin :

— Vous n'avez pas de talons aiguilles au moins ?... Parce que si tout le monde venait avec ça, ça ferait du beau !

Mme Taupin, notons-le, ne portait pas de talons aiguilles, mais l'imagination de l'employée était à ce point hantée par les talons de cette espèce qu'elle regrettait secrètement que la visiteuse n'en portât point. Elle n'eût pas été fâchée de se mettre en colère, histoire de mieux défendre Versailles, et la France, qu'elle gardait. Je ne sais plus ce que put dire M. Taupin à ce cerbère, mais le visage de son interlocutrice, la seconde d'avant renfrogné, s'éclaira d'un large sourire. Au fond, le comportement des Français avec les Français est un peu le même qu'avec nous : 1° Dans ma famille on a toujours détesté les Anglais ; 2° Au fond, on pourrait très bien s'entendre. Il serait peut-être plus simple de s'entendre d'abord, mais en France on laisse toujours passer la rogne d'abord et le bon ton après.

❧

Quelles que soient les difficultés de mon entreprise, en digne fils de John Bull, je ne veux pas lâcher prise. J'ai fait un pari : je le tiens. Il y a d'ailleurs des signes encourageants.

L'autre jour, comme je regagnais mon hôtel, une dame, dont le sac était bizarrement gonflé, me demanda néanmoins l'aumône non sans m'avoir exposé en une minute que son mari l'avait abandonnée, qu'elle ne *touchait pas la Sécurité sociale* et que sa fille était une garce. En bref, si je ne lui donnais pas cinq francs (vos mendiants, comme vos médecins, font toujours leurs demandes en nouveaux francs), elle allait se jeter à la Seine.

— Ma brave dame, lui dis-je, si tout le monde demandait cinq francs au major retraité que je suis, je ne sais vraiment pas comment il y arriverait !

L'écho de mes propres paroles me fit l'effet d'un boomerang : j'eus l'impression d'avoir déjà entendu ça quelque part. Sur quoi, dans un mouvement généreux, je lui tendis, en bon Français, le cinquième de ce qu'elle m'avait demandé.

❦

Il faut rendre justice aux Parisiens : la vie quotidienne met leurs nerfs à rude épreuve.

J'avais bien, il y a quinze ans, décrit la petite guerre que se livraient les automobilistes contre les piétons, les piétons contre les automobilistes, les automobilistes entre eux. Mais dans ce domaine précis vous avez encore fait, si j'ose dire, des progrès. Il est loin le temps où les conducteurs français demandaient, leur index pointé comme un tournevis sur la tempe, si leur prochain n'était pas *complètement cinglé*. Loin aussi le temps où l'on se traitait seulement de *peau de fesse* ou de *tête de lard* ! Aujourd'hui, si les choses ne vont pas plus vite en voiture, elles vont beaucoup plus loin. Il ne s'agit plus de se lancer des mots mais d'échanger des coups. M. Pochet m'assure, et je veux bien le croire, qu'il y a dix ans encore, jamais un automobiliste n'eût profité d'un encombrement pour descendre de sa voiture et allonger un *marron* à celui qui avait contrarié sa marche (régulièrement un petit homme à lunettes alors que l'assaillant est un costaud). C'est, paraît-il, monnaie courante. Encore les choses ne se limitent-elles pas là puisque, trois ou quatre fois par an, un automobiliste ou un piéton irascible met un poing définitif à la discussion en sortant un couteau à cran d'arrêt ou un revolver, et en procédant à l'élimination physique de l'adversaire.

Sans aller jusqu'à ces irrémédiables excès, on peut dire que là encore la *rogne* parisienne, à l'instar des moteurs, est surmultipliée. La mauvaise humeur de M. Pochet s'excite contre les piétons qui ne savent pas traverser ; elle s'aiguise au contact des gens « de plus en plus nombreux » qui ne savent pas conduire (surtout des *femmes-qui-n'ont-rien-à-foutre*), de ceux qui *n'ont jamais su se ranger* ou qui — par leur impatience — montrent qu'ils n'ont jamais vu quelqu'un le faire. La place enfin trouvée, l'ire de M. Pochet est portée à son paroxysme par la vue du contractuel qui le guette. Cet emplacement si difficile à repérer, il ne le laissera qu'à regret à son prochain, furieux de voir quelqu'un trouver — apparemment du premier coup — un espace qu'il avait eu tant de mal à dénicher.

A ce point de vue encore les Parisiens me semblent assez particuliers. Il m'arrive de conduire moi-même et d'être aussi préoccupé par ma voiture que M. Pochet. Pourtant, lorsque je vois un conducteur attendre la place que je m'apprête à libérer dans une rue de Paris, cela ne me donne pas immédiatement envie de passer la plage arrière à l'aspirateur ou de consulter mon carnet d'adresses. Je n'aime pas faire attendre. J'attends donc des autres le même comportement. Aurais-je une tête, ou une voiture, à leur rappeler soudain qu'ils ont oublié quelque chose ? Très souvent, quand je me présente pour prendre la succession d'un conducteur sur le point de démarrer, celui-ci, m'ayant vu, cherche sous son tableau de bord quelque chose qu'il ne trouve pas, ajuste son rétroviseur, nettoie son pare-brise, feuillette son calepin, enfile ses gants et, s'il n'a vraiment rien d'autre à faire, quitte à regret la place qu'il occupait, comme s'il s'agissait d'un terrain privé chèrement acheté qu'il lui faut céder pour rien à un *squatter* venu telle une fleur Dieu sait d'où... Les Français ont vraiment l'instinct de la propriété.

Mais j'ai tort de dauber sur les Parisiens.

Comment ne seraient-ils pas à bout de nerfs, esclaves qu'ils sont des encombrements et de la bousculade, soumis au disque et au fisc comme leurs ancêtres à la taille et à la gabelle, victimes de la pollution de l'air, des tracasseries administratives, de la hargne ambiante ? Vivre l'œil sur la montre, la main sur le portefeuille, le pied sur le frein, est-ce vivre ? Je comprends mon traducteur qui a toujours la sensation, lorsqu'il arrive de sa campagne à Paris, qu'une main géante et invisible lui plante une fiche électrique dans les reins en lui ordonnant :

— Avance !

Si encore il pouvait ! Mais pour lui aussi bien que pour les autres, les choses ont bien changé : naguère la voiture lui permettait d'aller plus vite à son «lieu de travail». Maintenant, il travaille dedans.

Est-il besoin de dire que le Parisien est seul à souffrir de ces maux ? Chacun sait que le Londonien, le New-Yorkais, le Romain échappent aux embouteillages, n'ont rien à déclarer au fisc, gagnent largement leur vie à la paresseuse, peuvent flâner — et laissent les Parisiens se débrouiller avec leurs enquiquinements.

Mais j'ai assez parlé de l'humeur générale de vos particuliers. Il est temps d'examiner maintenant l'humeur particulière de votre Général.

III

«LA FRANCE SERA TOUJOURS LA FRANCE»

 J'ÉPROUVE pour le général de Gaulle la plus vive admiration, mais — je l'avoue à ma grande honte — j'ai quelque mal[1] à persuader mes compatriotes qu'il ne nourrit à leur égard que de bonnes intentions. Sans doute, n'appréciant pas encore aussi bien que vous la bonne chère, ne peuvent-ils les savourer comme il le faudrait.

Good God !

Quand donc le monde entier, Iles Britanniques incluses, finira-t-il par admettre cette

---

1. *Understatement* pour « *les plus vives difficultés* ». *(Note du traducteur.)*

vérité qui est l'évidence même : la France est le seul pays du monde qui n'agisse jamais dans un intérêt égoïste mais dans celui de l'univers ? Il peut arriver − tout arrive − qu'une suggestion émise par son président serve tout d'abord l'intérêt de la nation : celui-ci rejoint alors, comme par miracle, l'intérêt général, et c'est la terre entière que la France sert après s'être servie la première. Aux yeux de certains esprits tatillons, il peut sembler qu'il y ait là-dedans du surnaturel, mais c'est un fait : la France et le Miracle entretiennent depuis sainte Geneviève une liaison si étroite et si solide que tout le monde les considère comme mariés. Seules en doutent quelques vieilles filles de mon royaume et ses légions d'hypocrites.

Right or wrong − mon pays doit admettre les deux termes de cette alternative :

− *Ou une solution semble profitable pour la France, et alors elle sera salutaire pour le reste du monde.* C'est très exactement ce qu'a dit le Général dans sa dernière causerie au coin du feu et du Nouvel An − j'allais écrire, influencé par son ton paternel, sa dernière allocution familiale.

« Les buts de l'action extérieure de la France, étant français, répondent à l'intérêt des hommes. » N'est-ce pas clair, et d'une logique sinon internationale, du moins cartésienne, ce qui est mieux encore ? Sans la France, d'où nous viendrait la lumière, puisque ce pays tient de droit le flambeau de la civilisation que l'on ne saurait être dix à porter ?

– *Ou bien une solution est contraire au génie et à la vocation de la France, et alors elle n'est bonne pour personne.* Le génie serait-il un *label* exclusivement français ? Le doute n'est pas strictement interdit à ce sujet, mais il est assez remarquable qu'aucun homme politique anglais ou américain ne déclare jamais qu'une solution est contraire au génie ou à la vocation de son pays. C'est à se demander si nous en avons. Probablement pas, sinon on en aurait entendu parler. Dommage. Nous résigner à être des pays sans vocation ni génie serait simplement *disastrous* si nous ne savions qu'à deux pas de nous la France, rayonnante et généreuse, nous en dispense en les dispensant.

La preuve qu'il n'y a rien là-dedans de surnaturel, c'est précisément le naturel avec
lequel les mots de *vocation* et de *génie* viennent
sur les lèvres des hommes d'État français en
général et du Général en premier lieu. Cela
coule de source comme le charme *incompa-*
rable de vos bistrots et le chic *inégalable* de la
Parisienne. Là encore, l'une des dernières allo-
cutions du Général apporte de l'eau à mon
moulin qui en est pourtant saturé : la plupart
des chefs d'État, et notre Reine elle-même,
souhaitent la bonne année à leurs sujets en
espérant qu'ils feront honneur à leur destin.
Pour le général de Gaulle, c'est la nouvelle
année qui doit *faire honneur à la France. Superb !*
On ne saurait mieux prouver que ce pays entretient avec la Providence des relations d'un
caractère hautement privilégié.

Du moins est-ce là mon intime conviction.
C'est pourquoi si les solutions que la France propose, et dont Dieu, s'Il le veut, pourra disposer
avec Elle, nous paraissent au premier abord un
peu amères, nous ne devons pas douter qu'un
jour nous en recueillerons les fruits les plus
sucrés.

Quand le président de la République, par exemple, parlant tout bonnement la voix de la Raison et du Bon Sens, n'offre aux Américains d'autre solution que le retrait immédiat de leurs troupes de l'endroit où elles se trouvent, quitte à prendre la première culotte de leur histoire, c'est dans leur propre intérêt, *of course !* Qu'il n'eût pas supporté des Américains le même langage en des temps où la France se trouvait dans la même situation, c'est une tout autre affaire. C'est de l'Histoire de France. Qui oserait y toucher ?

Quand le général de Gaulle, invité par un des plus grands pays du monde, en profite pour appeler l'une de ses provinces à l'autonomie et insiste ensuite à plusieurs reprises en nommant Français canadiens des gens que leur Constitution qualifie de Canadiens français, qui pourrait parler à ce propos d'ingérence dans les affaires intérieures d'un pays souverain ? Chacun sait qu'il n'est bon Québec que de Paris. Le Général ne parle ainsi que dans l'intérêt du continent américain tout entier ; une fois semée cette nouvelle graine de discorde, le Canada n'en sera que plus uni et plus fort.

Last but not least[1]... j'en arrive à nous...
Quand le Général exige de l'Angleterre qu'elle
se réforme de fond en comble si elle veut être
digne d'accéder au Marché commun sans le
dévoyer (choquante image... j'ai eu un moment
la sensation qu'il y avait là une allusion majeure
à nos minis et à nos mœurs dissolues), quand
il nous démontre que le fait de perdre presque
un demi-kilo dans une livre, fût-elle sterling,
n'est qu'un tout petit pas vers une porte aussi
étroite, c'est le langage du bon sens. Il faut
être stupide, borné, et pour tout dire entouré
d'eau, comme le sont, hélas ! mes damnés
compatriotes, pour ne pas comprendre que
nous n'avons pas même fait la moitié du chemin[2].

※

Il y a des Anglais assez oublieux de leur
propre nature si encline aux salutaires châtiments corporels pour crier au camouflet sous

1. « Enfin — mais ce n'est pas le moindre. »
2. C'est, je dois le dire, un écrivain américain appartenant à la
National Broadcasting Company, Bernard Frizell, qui me l'a un
jour expliqué : faire la moitié du chemin avec un Français, c'est
très simple : vous faites quatre-vingt-dix mètres — et lui accepte
de bonne grâce de faire la moitié des dix mètres qui restent.

prétexte qu'un général, auquel nous avons bien voulu prêter un micro pendant les heures sombres, nous fait *droguer*[1] à la porte d'un continent que nous contribuâmes à sauver et *procrastine*[2] notre entrée à perpétuité ! Comment des gens rompus aux brimades et aux coups de canne ne se rendent-ils pas compte que, telle une correction donnée à un enfant récalcitrant, c'est pour leur bien ? Chacun ne dit-il pas dans mon doux pays qu'une bonne raclée n'a jamais fait de mal à personne ? En nous châtiant, les Français prouvent simplement qu'ils nous aiment... Le Général a tenu à le souligner à notre ambassadeur à Paris, Sir Patrick Reilly, en lui disant :

— Vous verrez que les Anglais reconnaîtront un jour ce que j'ai fait pour eux, et ils m'en remercieront.

Ce n'est pas là seulement le langage d'un véritable ami, d'un homme de sens, mais d'un incorruptible tuteur. Un bon père de famille

1. En français dans le texte.
2. « Procrastiner », c'est-à-dire remettre sans cesse au lendemain, dit bien ce qu'il veut dire, mais vous en avez abandonné l'usage, sans doute parce que vous nous le réserviez. *(Note du Major.)*

qui aimerait tendrement ses enfants ne parle-
rait pas autrement. Encore faut-il remarquer
que les vertus du vôtre sont si étendues qu'il
ne s'occupe pas seulement de ses cinquante
millions d'insupportables *mouflets,* mais de
ceux des autres. *Fabulous !*

Pater familias à l'échelle planétaire, le Général pratique en somme le paternalisme international. Il a peu à peu donné le *la* à ses plus
proches collaborateurs qui, par une sorte de
mimétisme fréquemment constaté dans les
grandes maisons, répercutent de leur mieux,
à leur échelon, le ton tantôt bonhomme, tantôt
admoniteur du *boss.* Ce que l'Angleterre doit
faire ? Mais voyons, c'est très simple : voilà...
Les U.S.A. ? mais nous ne leur demandons pas
autre chose que de faire ce qu'ils ne veulent
pas — *parce que c'est dans leur propre intérêt,
un point c'est tout.* Quant à la France, para-
phrasant Victor Hugo selon lequel, lorsque
Paris éternue tout le monde est enrhumé, le
Général ne souhaite que sa prospérité — car,
« sans le bonheur de la France, il n'est pas de
bonheur possible ».

Quoique notre grippe soit extrêmement maligne, nous n'avons jamais réussi comme vous à donner la migraine au monde quand Londres a mal à la tête. Notre rayonnement n'est sans doute pas suffisant. D'ailleurs je vous le demande : quel autre pays pourrait assurer avec une pareille sérénité — du moins sans susciter quelque inquiétude — que, plus il sera fort, plus l'univers sera heureux ? La Suisse, la Suède ou Monaco, peut-être ; mais comment pourrait-on croire à la bonne foi de la Grande-Bretagne, des U.S.A. ou de l'Allemagne s'ils tenaient ce langage ?

Il faut donc en convenir : la France est seule à pouvoir le faire — parce qu'elle est la France, et parce que la France est Femme. Courageuse et noble, innocente et pure, elle ne saurait justifier la moindre méfiance. Convoitée, désirée, guettée par les dévoyeurs de la plus basse espèce qui n'hésiteraient pas à la violer sur le chemin du Marché, elle avance sereine sur une route hérissée d'embûches, bordée de précipices. Qu'importe ? Elle est pavée de bonnes intentions. Bien sûr, il est d'autres nations du même genre, je veux dire du genre féminin. L'Angleterre ou l'Alle-

magne, par exemple. Mais on ne saurait com-
parer la coriace Britannia ou la Germania
walkyrienne à la féminité fragile de la France.
J'ai d'ailleurs tort de parler de fragilité :
grâce à son coffre hexagonal, la France jouit
d'une santé de fer (elle sort *retrempée des
abîmes*). Sa grippe même est à l'image du pays :
douce et tempérée. Les seules grippes graves
qui aient ravagé la France sont encore le produit d'invasions étrangères (espagnole, asia-
tique, etc.).

On conçoit qu'un pays aussi généreux, qui
n'agit dans son intérêt que pour mieux servir
l'intérêt des autres, qui n'a jamais mis le pied
sur un sol étranger que par inadvertance ou
pour le mieux-être de peuplades auxquelles il
apportait la lueur parfois un peu vive de son
flambeau et qui jouit d'un point de vue*** au
cap de l'Europe, soit éternellement en butte
aux forces du mal, à un complot universel, à
l'envie morbide de nations malsaines qui
contaminent jusqu'à sa météorologie. Si l'on
en juge d'après le bulletin de la météorologie
française, le mauvais temps vient toujours
d'ailleurs (à croire que, si cet ailleurs n'exis-

tait pas, il ferait perpétuellement beau sur la France) : dépression d'Irlande, anticyclone des Açores, courant d'air froid des Shetland, zone pluvieuse d'Écosse, vague de chaleur des U.S.A., vague de froid de Scandinavie ou d'U.R.S.S. – on n'entend jamais dire que le moindre grain de mauvais temps soit français de naissance. Toujours ce maudit Étranger ! On comprend que les Français le prennent en grippe (le plus souvent, pourtant, c'est nous qui l'attrapons).

Voilà pourquoi le Général doit être cru. Comment ne pas croire du reste quelqu'un qui ne fait que dire des vérités élémentaires ? Ce qui m'émerveille peut-être le plus dans le style du Général, ce sont les clartés de l'évidence. Si un homme politique anglais ou américain s'avisait dans un grand discours de proclamer que l'Angleterre doit être anglaise ou l'Amérique américaine, tout le monde s'esclafferait. Il n'y a qu'un homme capable d'enfoncer de telles portes ouvertes sans faire rire, c'est votre Général. Quand il assure, par exemple, que l'Europe doit être européenne, non seulement cette audacieuse formule fait son chemin tout

tranquillement, mais, quelques semaines après,
les éditorialistes les plus sérieux la reprennent.
Tant il est vrai que les axiomes les plus apparemment simplistes de cet homme acquièrent
une force mystérieuse et que, *les choses étant
ce qu'elles sont,* quand il veut bien nous confir-
mer que nous sommes un grand peuple, nous
en voilà tout réchauffés.

Vous ne possédez pas seulement le plus
grand homme d'État vivant (son seul malheur
est qu'avec cinquante millions d'âmes seulement, il doive constater comme mon compa-
triote Saki : « Je vis tellement au-dessus de mes
moyens que, pour ainsi dire, nous vivons à
part »). C'est aussi le plus jeune.

Si de Gaulle avait vingt ans, on lui trouverait
tous les défauts de la jeunesse : audace, impétuosité, facilité à se contredire, ingratitude
pour le vieil oncle Bull, tendance irrésistible à
trancher les problèmes des autres, même si on
ne lui demande pas son avis, penchant volup-
tueux à semer brusquement la pagaille en soulevant des problèmes à quoi personne ne
songeait, susceptibilité d'enfant gâté, désir de
show off ou, comme vous dites, d'*épater la*

galerie — ne sont-ce pas là les marques d'une extrême jeunesse ?

Quel homme d'État, au début d'une conférence de presse prononcée en son palais sous les *sunlights,* cameras et micros du monde entier, pourrait se permettre d'évoquer, à propos de la Grande-Bretagne, les avantages de la femme nue en étant sûr de rester couvert par l'impunité réservée aux mineurs ?

Autre exemple d'impétuosité juvénile : le Québec. Sans parler de cette prodigieuse aptitude à faire éclore en un clin d'œil ou un éclat de voix un problème international qui ne donnait le *tracassin* à aucun de ses sujets — car enfin, dites-moi... avant le cri de Montréal, quelle place tenait le Québec dans les préoccupations des Français ? — un observateur superficiel aurait pu penser qu'en clamant «Vive le Québec libre !» le chef de l'État, électrisé par la ferveur de l'accueil, s'était laissé aller à prononcer un mot qui dépassait sa pensée, qu'il avait fait un faux pas, ou que sa langue avait fourché. Sans doute y a-t-il des limites à ne pas franchir — celles de la bienséance — lorsqu'on est l'hôte d'un pays étranger. Si, par exemple,

M. Taupin apprenait que son fils de seize ans — auquel il aurait fait les recommandations d'usage avant qu'il aille passer l'été dans une famille anglaise de l'Irlande du Nord — a crié à la fin du premier dîner chez ses hôtcs :

— Vive l'Irlande du Nord libre !

...il prendrait sur-le-champ la plume ou le premier avion — à réaction, *of course* — pour corriger le gamin, le rappeler au sens des convenances, et tenter d'excuser son incongruité au nom de la France. Car seul un gosse mal élevé (et Dieu sait si son père s'était donné du mal !) peut commettre pareille gaffe.

Mais il est bien question du fils de M. Taupin ! Votre grand jeune homme ne saurait être comparé à si peu.

Loin de s'excuser comme l'aurait sans doute fait n'importe quel de nos désuets *gentlemen* encore soumis aux règles de la politesse de papa, il a *remis ça* à la première occasion. Que dis-je ! Il a *mis le paquet* dans un nouveau discours en adressant carrément ses vœux à la *nation française du Canada*.

Incredible !

Je sais bien que, du plus humble aux plus grands, les hommes ne sont que des enfants attardés. Ils nous le prouvent même chaque jour. Et ce que je dis du Général pourrait s'appliquer à d'autres. Tenez...

Si votre fils de quinze ans — naturellement très doué pour son âge — trouvait une idée assez originale pour créer une salutaire révolution dans l'enseignement et revenait triomphant à la maison en vous faisant croire qu'il a obtenu en une journée, dans toutes les classes de Paris, 99,989 pour 100 des voix, le croiriez-vous ? Sûrement pas. Si c'était le mien, je me demande même jusqu'à quel point je ne lui allongerais pas une taloche. Car enfin vous n'êtes pas, ni moi non plus, homme (ou femme) à gober les mouches. C'est pourtant ce que le président Nasser a fait gober à son peuple, sinon au monde entier puisque tous les journaux ont annoncé qu'il avait été confirmé dans ses fonctions par 99,989 pour 100 des voix. Je me demande pourquoi, pendant qu'il y était, il ne s'est pas envoyé carrément du 100 pour 100 tout rond. Il a dû tenir compte de 0,011 pour 100 d'aphones.

Admettez maintenant qu'un jeune homme, sortant de Centrale ou de Polytechnique, soit envoyé au Vietnam en pleine bagarre pour résoudre l'équation de la guerre : *Les États-Unis n'ayant encore pu vaincre le Vietminh avec 500 000 hommes, 3 000 bombardiers et chasseurs, et 5 000 hélicoptères, face à des forces trois fois supérieures en nombre mais inférieures de 70 pour 100 en moyens techniques, que leur faut-il pour enlever la décision?*

Supposez que le jeune homme revienne, après deux ans d'étude approfondie du terrain, en déclarant tout de go :

« Pour que les U.S.A. gagnent la guerre, il leur faut exactement 206 000 hommes de plus. »

...pas 207 ni 205 : exactement 206 000 — est-ce que vous ne vous demanderiez pas si cet hurluberlu n'est pas tombé sur la tête et s'il ne se f... pas du monde ? C'est pourtant bien cette extralucide évaluation de 206 000 hommes qui a été concoctée, soupesée et annoncée avec le plus grand sérieux par le général-proconsul Westmoreland, peu de temps d'ailleurs avant qu'il fût honorablement limogé avec tous les égards dus à son rang. Et cc chiffre, du plus

haut comique s'il n'était dramatiquement co-
casse, a été reproduit sur trois colonnes à la une
par toutes les feuilles de la planète.

Si j'ai cité ces deux exemples, c'est pour
montrer que les travers juvéniles de votre Général ne sont pas uniques. Les hommes ne font
jamais que changer de hochets : ils troquent
leurs patinettes contre des *De-luxe fluid-drive,*
leurs poupées ou leurs nounours contre de gros
lapins ou de belles pépées, leurs cerfs-volants
contre des *jets,* leur prix d'excellence contre un
bicorne, voire leur copie du concours général
contre une belle page d'Histoire lorsqu'il faut
penser à partir en beauté. Tout arrive, hélas ! à
l'Élysée comme à la Maison-Blanche : que ce
soit à Moscou, à Lisbonne ou à Pékin, tous,
grands et petits, nous mourons enfants (de la
Patrie, évidemment).

En attendant — ce jour viendra — où notre
patrie sera la Terre.

Pour l'instant, même dans le domaine de
l'éternelle jeunesse, votre Général sait dépas-
ser les autres. Et il ne cesse d'émerveiller.
Prenez, par exemple, ses grandes conférences
de presse. On dirait d'un gigantesque stand de

tir forain où la porcelaine s'étalerait sur les deux hémisphères. Chaque fois, la salle est pleine à craquer de gens de tous pays qui attendent, impatients, le déclenchement du tir. Si d'aventure il n'y a pas de casse — ce qui est rare — on dira que le Général n'a rien dit que l'on ne savait déjà (formule si souvent employée après les longs discours des chefs d'État qu'il faut admettre que les gens savent beaucoup plus de choses qu'on ne croit ou que les chefs d'État cultivent l'art de parler pour ne rien dire). Rendons cette justice au Général : plus il avance en âge, plus son tir est vaste et massacreur. Sans doute est-il à l'aise en serrant des mains ; il l'est plus encore lorsqu'il peut embrasser l'univers. Les derniers spectateurs de son *one man show* n'ont pas eu à se plaindre : il a visé, par-delà les océans, la porcelaine la plus inaccessible, la plus inviolable, la mieux protégée, et elle a volé en éclats dès le premier coup.

Good shot ![1]

---

1. « Bien joué ! »

IV

LA FRANCE
SOUS L'OCCUPATION FRANÇAISE

 Que les malheurs de la France viennent du fait qu'elle est habitée par cinquante millions de Français, je l'avais plus d'une fois secrètement pensé. Je ne me serais pourtant pas laissé aller jusqu'à certaines comparaisons *rather vachardes*[1] que seul peut se permettre le plus authentique des gaullistes. Celui-ci n'a-t-il pas écrit dans ses *Mémoires de Guerre*: «*En aucun cas, les volontaires «ne porteraient les armes contre la France.» Cela ne signifiait pas qu'ils ne dussent pas combattre des Français*»?

_____

1. En franco-anglais dans le texte.

Je n'invente donc rien. Il me restait cependant beaucoup à faire pour me mettre au diapason si changeant de votre glorieux pays, et les récents événements auront puissamment contribué à l'achèvement de mon éducation par la force (révolutionnaire). Car, si je croyais bien connaître la France, j'avais encore diablement à apprendre de ces damnés Français. Tant il est vrai que ceux-ci ne donnent pas toujours une idée exacte de celle-là.

Ce que la France de 1968 m'aura notamment révélé, c'est qu'elle est sans doute la seule nation du monde qui, en l'absence de tout envahisseur étranger, parvienne à se faire vivre sous l'occupation. Fabuleux !

Qui n'a pas vu la France occupée par elle-même jusqu'à pousser le chef de l'État à aller chercher la clef du champ de manœuvres en Allemagne, tandis que M. Pochet frappait nuitamment à la porte d'un pompiste clandestin pour se faire remplir un jerrycan, celui-là n'a rien vu, il lui manque une case. Je suis franchement reconnaissant à la Providence, et aux forces d'occupation, de me

l'avoir remplie, contribuant ainsi à ma reconversion.

Mais *what a show*[1] ! C'était en fait à qui
occuperait l'autre ; les ouvriers occupaient
les bureaux des patrons, les patrons enfermés
occupaient le temps comme ils pouvaient, le
temps était venu pour les étudiants d'occuper
la Sorbonne, l'Odéon devenait théâtre d'occupation, ceux qui n'avaient aucune occupation
s'occupaient en allant voir la tête des occu-
pants, et je connais un cadre de valeur qui,
s'étant décroché de ses activités normales
de directeur d'agence pour aller occuper le
siège de la maison mère, apprit en réintégrant
sa succursale qu'elle était occupée par un
syndicat autonome plus à gauche que le sien.
Too bad ou *well played?* En très imperméable
Anglais, je, comme vous dites, *ne me mouillerai
pas.*

⚜

---

1. « Quel spectacle ! »

... Mais, en Britannique de bonne foi — on excusera cette juxtaposition — prêt à se mettre à l'heure européenne, donc française, pour le salut du Marché commun, je veux faire un effort pour comprendre et tenter d'atteindre votre perfection dans le paradoxe, domaine où vous êtes sinon rois, puisque ce mot chez vous n'est plus de mise, du moins démocrates-souverains. Lourde tâche !

Comment aurais-je pu supposer que vingt-trois ans après une guerre terrible qui vit cette valeureuse nation gémir sous la botte, tout un peuple humilié par le mot même d'*occupation* afficherait le terme le plus abhorré de son histoire au fronton de ses usines, de ses gares, de ses universités et de ses centres postaux ?

Comment imaginer que ce pays si chatouilleux sous les plis de son drapeau tricolore — revendiqué tout autant par ses communistes que par ses conservateurs — verrait ses masses laborieuses se dresser contre la tyrannie en restant immobiles et poursuivre d'un seul élan leur arrêt de travail à l'ombre du pavillon rouge d'une puissance étrangère qui — chez elle – interdit purement et simplement le droit de grève ? Encore faut-il noter que ce pavillon écarlate s'accompagnait souvent du noir étendard de l'anarchie. Stendhalienne sans le savoir, la France insurrectionnelle joue le rouge et le noir et ne reprend que dans la sérénité.

Enfin, si je savais que souvent France varie, puisque depuis cent soixante-dix-neuf ans elle oscille entre la révolution et la dictature, comment aurais-je pu prévoir que M. Taupin, devenu subitement révolutionnaire au point d'embrasser tendrement ses enfants avant qu'ils *aillent aux barricades,* se métamorphoserait quinze jours plus tard en farouche partisan de l'ordre et du régime ?

❦

C'est bien la preuve que, pour m'introduire dans vos rangs, il me reste encore beaucoup à apprendre. « *Try, try and try again*[1] *!* » disait notre illustre Churchill. J'essaie, et il m'est

1. « Essaie, essaie, essaie encore ! »

arrivé, emporté par je ne sais quel mouvement de foule hérissée de pancartes *(L'action c'est la grève !* ou *L'anarchie c'est l'ordre !...* je ne sais plus !), de chanter *La Marseillaise* sur l'air de *L'Internationale. Foolish...* sans doute. Mais ne voudra-t-on pas voir là quelque progrès de ma part dans votre discipline paradoxale ? Je pousserai l'audace jusqu'à m'y essayer sur-le-champ en constatant qu'en fin de compte, parmi les folles dépenses faites cette année par les Français aux frais de la France, la plus extravagante ne leur aura rien coûté : c'en fut une, prodigieuse, d'énergie verbale. Mais s'il est vrai que *time is money,* alors quelle prodigalité !

Jamais il ne m'avait été donné d'assister à un tel festival de mots.

Mes amis Pochet, comme le colonel Turlot, ne se sont pas privés de me dire à ce propos que ce pays était *tombé sur la tête* (on voit donc bien que ce n'est pas la leur). Ils devaient se tromper, ou être en retard d'une guerre civile : les têtes, me semble-t-il, n'avaient jamais tant *carburé,* de jour comme de nuit, et jamais raison raisonnante n'expliqua par un dialogue constructif tant de folies ravageuses[1].

D'abord décelés chez les étudiants qui débitaient leur précis révolutionnaire à l'écran de la TV en accouchant maladroitement de ces grandes sœurs siamoises du vocabulaire technocratique, Structure et Mutation, les syndromes de délire verbal gagnèrent bientôt syndicalistes, professeurs, politiciens et ingénieurs. Seuls les vieillards et les enfants paraissaient échapper à cette fièvre — les enfants en bas âge du moins, car l'on vit bientôt des lycéens atteints du haut mal et balbutier leur première *prise de conscience* comme s'ils avaient tété un biberon de contexte.

1. Sans doute y eut-il quelques menues confusions de jugement : je veux bien croire — avec mon traducteur — que la domination hitlérienne et les excès de deux guerres coloniales ont laissé chez certains des germes sado-masochistes qu'il sera difficile d'extirper. Il faut tout de même avoir la mémoire bien courte pour mettre dans le même sac les C.R.S. portés au passage à tabac et les S.S. partisans du passage radical à trépas. Ou pas de mémoire du tout ?... A l'instant où l'on parle tellement de réformes, peut-être y aurait-il lieu d'apprendre plus clairement à votre hardie jeunesse les lugubres *(thank you, Général !)* beautés de ces régimes totalitaires aux griffes desquels ses pères l'ont arrachée et vers quoi un morbide vertige semble par moments la pousser — notamment quand ses *leaders* assimilent à une trahison les élections au suffrage universel ? Ce n'est pas là mon affaire et l'on voudra bien excuser cette ingérence intempestive dans les affaires de la France aux Français qui ne lui ressemblent pas toujours. *(Note du Major.)*

– On presserait les oreilles de ces chérubins qu'il en sortirait du préalable ! me dit un jour M. Taupin, ébahi par le vocabulaire de ses propres enfants.

Le pays tout entier était devenu un gigantesque théâtre où les Français jouaient aux Français.

Je m'étais souvent demandé – surtout à l'heure du déjeuner où patrons et cadres-de-valeur jouent à qui mieux mieux la scène dont ils ont été les héros le matin même à leur bureau *(Je n'ai fait ni une ni deux : j'ai convoqué mes chefs de service et...)* – si les Français ne vivaient pas, sans le savoir, sur des tréteaux.

La réponse me paraît maintenant claire : c'est un peuple d'acteurs qui, dans les heures troubles, transforme le pays tout entier en scène nationale, n'hésitant pas, pour le faire, à occuper les théâtres subventionnés.

Une nation de cinquante millions d'avocats en puissance, à leur mieux dans la chicane et la procédure, et dont la barre est une seconde nature : n'importe quel père de famille français ne dira-t-il pas de son fils, le plus naturellement du monde : *il fait son droit,* alors que son homologue britannique ou américain, ne disposant pas d'un tel titre de propriété, se contentera de dire qu'il étudie la loi[1].

Alors... Avocats ou acteurs ?

Les deux dispositions sont à ce point imbriquées que je m'y perds moi-même et ne sais plus très bien si le théâtre de l'exploit oratoire auquel je vais faire allusion était le Palais de Justice ou la Chambre des Députés. Peu importe le prétoire qui lui servit de scène : il n'en est pas moins resté gravé dans ma mémoire comme une des plus étincelantes illustrations du caractère français. Deux orateurs se livraient un duel sans merci (il n'en existe du reste pas avec). Le premier ayant regagné sa place après avoir tiré une volée de flèches imparables, son rival, qui paraissait perdu, trouva le moyen de retourner la situation avec un tel brio que cinq minutes plus tard toute la salle s'esclaffait aux dépens de l'homme qu'elle venait d'applaudir.

C'est alors que celui-ci, ayant demandé au

1. « Study the law. » *(Note du Major.)*

président la parole — je crois bien, tout de même, qu'il s'agissait de la Chambre — déclara de sa place:

— Je demande pardon à mon collègue de l'interrompre un instant... Il a tellement d'esprit!... Je voulais lui demander, justement, s'il n'aurait pas le temps de passer demain soir à la maison pour distraire les enfants...

Wonderful shot!... et qui retourna tellement les auditeurs qu'ils ne savaient plus où ils en étaient.

Moi non plus... Ah! si: j'y suis. Ou j'y étais: à l'Assemblée nationale, et à la représentation exceptionnelle que l'on y donnait publiquement en mai 68 puisque les joutes oratoires étaient télévisées. Quand je parle de joutes, je ne suis pas anachronique: il faudrait le style et la palette d'un Froissart ou d'un Commines pour rendre compte de ce tournoi médiéval où chevaliers du régime et guerroyeurs des partis, s'élançant dans la lice du haut de leurs *plates-formes,* gorgés de restructurantes vitamines, parlaient, parlaient comme s'ils étaient initiés depuis des mois aux mystères d'une inconnue que la jeunesse estudiantine leur avait tout à coup posée.

Tandis que les hérauts de tous ordres se mesuraient, en appelant sans cesse à l'*immense majorité* de la nation et au *peuple souverain,* le bon peuple, sur la touche, contemplait le spectacle du parterre en comptant distraitement les points avant d'aller stocker des nouilles ou de l'essence. Tant il est vrai, comme l'a noté mon ami M. Blot, qu'un danger de guerre en Égypte ou l'imminence d'une révolution sur son territoire se traduit avant tout chez le Français moyen par une razzia sur les pâtes ou le sucre. *On ne sait jamais...*

Mais comment le peuple lui-même ne se fût-il pas laissé emporter par ce torrent de paroles ? Sa scène à lui, dans les heures graves, devient la rue. Sur les places, près des kiosques, des cercles se forment et trouvent aussitôt leur centre en la personne d'un orateur improvisé que la circonférence sans cesse élargie encourage. A l'instant où l'on écrit, où l'on s'écrie que la *colère du peuple gronde,* ce peuple hargneux n'a jamais été, entre soi, plus gentil. Personne n'est d'accord, mais tout le monde se comprend. Moi qui d'habitude trouve les mines plutôt renfrognées, et les passants peu disposés à me venir en aide si je m'égare, jamais je n'ai rencontré autant de gens avenants tout prêts à *faire un petit bout de chemin en ma compagnie* et à me dire comme si j'étais John Bull : *Au fond, on vous aime bien...*

❧

En voyant chacun faire son numéro et attendre l'effet produit, je me demandais par moments si toute la France ne jouait pas à *faire comme si...* Les étudiants *allaient aux barricades* comme s'il s'était agi de ressusciter la Commune. L'opposition déclarait solennellement qu'elle était prête à assumer ses responsabilités comme si le pouvoir était aux champs. Les syndicats commandaient aux ouvriers de se dresser contre la tyrannie du pouvoir comme si la royauté revenue allait rétablir les privilèges. Et tous les députés décrétaient la patrie en danger comme si les Allemands étaient aux portes de Paris.

Qu'un étranger pousse l'audace jusqu'à ne

voir dans la France qu'une troupe de cinquante millions de rôles, et veuille authentifier une telle vision, c'est franchement excessif, cela va sans dire. Combien j'aimerais mieux que ce soit vous qui le disiez ! Mais justement vous l'avez dit, vous le dites — et vous m'en voyez confus. Car enfin lorsque, revenu d'une tournée folklorique en Roumanie, notre Vedette n° 1, Druide atomique aux abois dans la forêt celte, vint à l'écran pour conjurer tout un peuple de l'embrasser une fois encore en lui délivrant un ultime blanc-seing, quelle réflexion entendis-je à la suite de cette apparition de sept minutes ? *« Il a été mauvais... très mauvais... »*

On eût dit d'un Mounet-Sully qui aurait raté ses adieux sans avoir su se retirer à temps.

Et quand, à l'Assemblée nationale, le ton de certains orateurs monta dans ces heures troubles pour atteindre une grandiloquence propre à la tragédie, est-ce un damné étranger qui s'écria, en les rappelant aux réalités :

— Messieurs, voyons... nous ne sommes pas ici pour jouer les héros d'Homère !

...? Non, *of course*... C'est un très authentique Français, le président même de l'Assemblée nationale.

La représentation n'en continua pas moins, bouffonne ou grave selon les cas. Jusqu'au jour où elle se termina comme il se devait : par un coup de théâtre. Le n° 1 du spectacle, ayant disparu de la scène pour une absence que certains jugeaient définitive, revint soudain après avoir fait peur et, en quatre minutes de télévision, effaçant sa récente et fâcheuse *performance,* retourna l'assistance en tragédien consommé.

Bientôt tout rentra dans l'ordre.

Cet ordre qui, étant en France un idéal et un pis-aller, finit toujours par ressembler à une sanction.

※

Je me demande parfois si vous êtes aussi démocrates que vous le chantez.

Nous avons une monarchie et nous faisons du socialisme. Vous avez une république, mais quand votre président va parler, il se fait annoncer par de la musique du Grand Siècle et lorsque l'insurrection gagne la rue, c'est sur un air qui, poings levés, n'annonce rien de très respirable pour les libertés individuelles.

Dans les deux cas, il est vrai, c'est au nom du peuple que l'on chante, même si on le fait chanter.

Extraordinaire, en vérité, ce que l'on peut en appeler au peuple ! Quand on n'en appelle pas à lui, *on en répond, on l'assume,* on s'en porte garant. Sa cocarde qui, pour n'appartenir à personne, appartient à tout le monde, ne vous appartient pourtant pas. Car si tous les citoyens font un peuple, le peuple n'est pas fait de tous les citoyens. Cercle jugé vicieux par ceux-là seuls qui en sont rejetés : s'il en était autrement, comment pourrait-on stigmatiser les ennemis du peuple ?

Les pays où le peuple est vraiment puissant seraient-ils ceux où l'on ne lui répète pas sans cesse qu'il est souverain ? Je finis par me poser la question.

Imagine-t-on le vide auquel les princes seraient exposés si le peuple n'avait plus d'ennemis ? Ah ! de Pékin à Paris en passant par Moscou, l'affreux vertige! Comment feraient les princes s'ils ne pouvaient plus déclarer le peuple en danger, en appeler à ses couches toujours *profondes,* à son instinct toujours *en alerte,* à son bon sens toujours *inné*? Oh! comme la vie semblerait fade aux princes — syndicalistes, généraux, bikbachis — s'il ne leur était loisible d'affirmer de temps en temps qu'il faut écraser les ennemis du peuple afin que soient satisfaites ses revendications toujours *légitimes,* ses besoins toujours *essentiels,* ses aspirations (profondeur: au moins égale à celle des couches).

Même s'il arrive à un prince de dire à ses confidents que le peuple est vain, veule, vil, voire veau, ce veau ne vaut-il pas son pesant d'or dans les grandes occasions, au point de devenir en France aussi sacré que vache en Inde? Car si son peuple tient du veau, de qui le prince aime-t-il rappeler qu'il tient son mandat? Du peuple. D'un bout à l'autre du monde, à l'est comme à l'ouest, pour l'irréductible maoïste 3ᵉ année comme pour le syndicaliste de base croate ou le sapeur gaulliste, il n'est qu'un seul roi anonyme: le peuple. Le peuple-roi peut être espagnol, chinois, russe ou français ; on peut museler sa presse, lui laver chaque matin le cerveau dans les champs avant de le passer à l'essoreuse marxiste-léniniste, lui refuser le droit de grève ou lui faire accomplir trois années de service au lieu d'une si son abjecte conscience objecte — il est souverain. Comment en douterait-il quand ses princes lui jurent qu'ils n'ont en tête qu'un seul souci : le servir en lui assurant son bien-être ? Rien ne saurait se faire qu'en son nom. Les choses se font-elles de force ? On ne le serre plus fort que pour mieux le servir. C'est son bien que l'on veut, c'est de lui que l'on use sans paraître en user. Il assure la paix, la guerre, les entractes. C'est un roi toutes mains, un monarque à tout faire, une majesté qui frotte et que l'on fait reluire en la passant à l'os — une altesse toujours prête à mettre la main à la pâte, dût-il en sortir un tyran ou une nouille.

Cette gigantesque entité qui éjecte de son sein laborieux les millionnaires oisifs et les intellectuels ergoteurs, les aventuriers et les opportunistes, la petite noblesse et la grande bourgeoisie, en bref tous ceux qui, n'étant pas étiquetés travailleurs, ne foutent rien — tous, bourgeois, aristocrates, politiques et politicaillons jurent de la ·défendre contre les aventuriers, les opportunistes *(voir plus haut)*. Les libertés du peuple sont menacées ? *Ils* ne passeront pas ! On voudrait le bafouer ? Son bon sens inné déjouera les odieuses manœuvres. On veut le bâillonner ? Il ne se taira pas : muet, il sait clamer silencieusement sa réprobation. Colossal bouillon qui fermente, sa colère un jour éclate ; à la colère du peuple nul ne résiste. Il a bon dos sans doute, mais déjà il dresse l'oreille, et ne choisira pas pour le mener des hommes qui entendent lui forcer la main en lui bottant les reins.

O peuple, pauvre peuple devenu roi, quelquefois même devenu riche..., est-il possible que l'on te fasse aussi souvent parler et que tu aies si rarement l'occasion de l'ouvrir ?

V

LA FRONTIÈRE DE LA VOITURE
ET LA «SOCIÉTÉ DE CONSOMMATION»

LA FRANCE... pardon : les Français étaient-ils malheureux le 1ᵉʳ mai 1968 au point de fomenter une révolution ?

Sans sous-estimer le nombre des citoyens déshérités — vieillards solitaires abandonnés de tous ou salariés smigueux qui hésitent à demander la moindre augmentation à un patron rapace — j'en doute. Il faudrait un expert en psychosociologie — car il s'agit bien de psychiatrie collective — pour expliquer comment un peuple heureux, en tout cas l'un des plus heureux de tous les peuples, et celui qui possède le meilleur art de vivre, a pu, par

un penchant morbide pour les enquiquinements, se plonger de lui-même dans le chaos.
A moins qu'un astronome n'en vienne un jour
à révéler que cette fièvre obsessionnelle coïn-
cidait avec un maximum de taches solaires et
qu'à défaut de guerre étrangère, elle s'est
manifestée civilement.

Pour l'instant, ne disposant pas de l'expérience adéquate en astronomie ou en neuro-
psychiatrie, j'en suis réduit à me demander si
les Français sont aussi assujettis que certains
d'entre eux le prétendent à la *société de
consommation* — une de ces appellations nouvelles mais non contrôlées dont on rebat
tellement les oreilles de M. Taupin qu'il en est
arrivé à me dire l'autre jour :

— C'est à se demander si *avant* nous vivions
sans consommer !

Il n'en est plus tout à fait certain. Moi non
plus. Mais peut-on dire que M. Taupin ou
M. Jaffredou soient devenus sujets de la Société de Consommation ?... Esclaves de la
S.D.C., ce minotaure de l'ère atomique ?

Je n'en suis pas sûr. Du moins pas aussi sûr
que s'il s'agissait de M. Sven Dagebörd ou de

M. Cyrus B. Lippcott. Je ne veux pas dire, bien entendu, que M. Jaffredou ou M. Taupin n'obéissent pas aux impératifs des nouveaux Rois Mages : la voiture, la télévision et le réfrigérateur. Mais un farouche esprit d'indépendance leur permet de s'y soustraire avec beaucoup plus d'aisance que mes amis de Stockholm ou de Pittsburgh. Il n'est que de voir combien, à Paris même, l'*implantation* de la simple salle de bain est encore timide, combien, en province comme dans les cafés parisiens, la station debout est encore recommandée, sinon obligatoire, en ces lieux où seul un étranger aurait l'idée de s'asseoir, pour comprendre que l'on ne saurait reprocher aux Français d'adorer saint Sanitaire à la façon de ces barbares canoniseurs américains, suédois, voire anglais, qui ne connaissent pas plus les charmes de la savonnette fixe que ceux du verrou lumineux.

Tel un *ancien* tout fier de montrer son savoir aux *bleus,* je m'enhardis parfois — oserai-je le confesser ? — jusqu'à apporter le peu d'éclaircissement dont je dispose aux novices étrangers en perdition dans le sous-sol obscur des merveilleux bistrots de votre Ville Lumière. J'y suivais hier encore l'étrange manège d'un touriste visiblement Américain — un courageux sans doute — auquel on avait donné un jeton de téléphone et qui, dans les ténèbres humides, fangeuses, malaisées, ne savait à quelle fente le vouer. D'âcres effluves me firent penser au parfum et aux œillets que le commissariat au Tourisme fait offrir aux visiteurs américains arrivant à Orly (il faut dire que vous avez une façon très personnelle d'accueillir les Yankees avec des fleurs et de les envoyer sur les roses à la première occasion ; on omet seulement de conseiller aux touristes de conserver une rose pour leurs incursions souterraines).

Prolongeant de moi-même le service de dépannage de votre Haut-Commissariat, je vins en aide à notre néophyte. Pour que la lumière fût, lui expliquai-je, il fallait d'abord s'enfermer dans la nuit cabinesque et trouver à tâtons le loqueton. Peu habitué à obtenir l'électricité par le loquet, cet homme prit plaisir à découvrir les vertus du verrou lumineux, frère de la minuterie, une de ces trouvailles dont la France économe se montre prodigue.

Un plaisir tel qu'il le fit jouer à plusieurs reprises. A la quatrième, le loquet xénophobe se coinça et l'étranger dut composer son numéro au briquet. Bien fait !

M'étant extrait ensuite d'une autre de ces cabines d'où il importe de s'échapper à reculons et en hâte si l'on ne veut pas être chassé par une trombe d'eau balayeuse, je retrouvai l'Américain aux prises avec un de ces robinets avares qui ne donnent un peu d'eau que sur une main seulement, et si on les en presse. Quant au savon, il s'agissait d'une espèce de gros citron strié de lignes noirâtres, qui restait embroché sur un axe de métal scellé au mur. Après s'être essuyé les mains à une loque visiblement historique, l'Américain fit surface avec moi. Il en vint à me parler de l'affreuse solitude du cintre filiforme qu'il avait trouvé dans sa chambre d'hôtel et — lui aussi — de la vitesse d'enlèvement, au petit déjeuner, de ce plateau-furet qui court à travers les hôtels français.

Existait-il un gang des portemanteaux ? Des maniaques dont le plaisir était de glisser dans leurs poches des savonnettes humides ? Des étrangers qui cherchaient à passer la frontière chargés d'électricité gauloise? Je le détrompai. Il était du reste décidé à prendre les choses avec le chèque-sourire.

Pour me remercier de mon aide, il m'emmena dans un bar. En réglant, il demanda au garçon si le service était compris.

— Le service, oui; le pourboire, non! dit le serveur, lui faisant définitivement comprendre que la France était toute en nuances.

Comment ces nuances seraient-elles goûtées à leur juste valeur par des barbares nordiques ou américains élevés sans la moindre notion de pourboire et avachis par le *fluid-drive* au point de trouver incommode la station debout dans certaines de leurs fonctions? Aux antipodes de ces robots pour lesquels le globe est devenu une telle peau de chagrin qu'ils prennent les *jets* polaires comme d'autres le métro, j'aime retrouver chez vous des individualistes têtus qui ne confieraient à aucun cerveau automatique le soin de changer leur vitesse, et font de l'avion par terre. Mme Le Vituplet, cousine de M. Taupin, ne manque jamais, lorsqu'elle *monte* de Carcassonne à Paris, de s'offrir à

Orly un petit voyage en Caravelle. Elle s'embarque, se fait servir un jus d'ananas par une hôtesse, ferme les yeux et se laisse aller au bout du monde. Jamais, en tout cas, elle n'a été plus loin. La seule différence avec l'avion polaire de Mrs Lippcott, c'est que le sien reste sur place : Air-France a dû remarquer comme moi que beaucoup de Français visitent Orly sans y croire et, s'ils en viennent à prendre l'avion, le font avec un air de se dire que ce n'est pas pour eux. Cet air-là n'est pas très Air-France. Il n'en est pas moins bien français, et pas du tout américain – les Américains, qui ne doutent de rien, ayant plutôt l'air de croire que l'avion est fait pour eux comme s'ils étaient nés dedans.

Tous les Français, *of course,* ne sont pas à l'image de Mme Le Vituplet qui, soit dit en passant, vit jour et nuit avec une compresse de 150 000 francs sur la cuisse. Anciens, bien entendu : il ne lui viendrait pas à l'idée de dévaluer en le comptant en nouveaux francs ce suprême en-cas, serré tantôt dans une poche de jupon tantôt dans un secret ourlet, et réparti en trois billets de 500 dont elle a déposé les numéros chez un notaire : « C'est plus sûr : on ne sait jamais[1] ! »

Mais il en est beaucoup, notamment sur le dernier versant de leur vie, pour lesquels le chèque représente encore, comme l'avion, quelque chose d'incertain ; qui auront vu naître le téléphone et mourront sans s'y être tout à fait habitués ; parlent de *T.S.F.* et de *phono,* et se soucient fort peu de distinguer une Ferrari d'une Peugeot. En traversant la campagne française, je devine de dos la génération de vos habitants suivant qu'ils se retournent ou non sur certains bolides.

Quant à cette manie de transformer un jupon en coffre-fort, elle semble encore solidement ancrée. Si l'on savait la fortune que la France recèle dans l'intimité de son infrastructure — un mot à la mode que Mme Le Vituplet

1. Je ne pense pas qu'il y ait le moindre rapport entre ce cataplasme monétaire et la longévité de Mme Le Vituplet, encore qu'elle soit de ces personnes qui se portent nettement mieux dès qu'elles ont vendu leur maison en viager : elle a conduit elle-même un premier acheteur au cimetière et le second n'en mène pas large. Tous les notaires vous diront que ce genre de transaction, spécifiquement français, a pour effet de revigorer le vendeur en lui ôtant le souci des impôts, de l'assurance et du lendemain, et que plus d'un débirentier a pris le chemin de la dernière demeure avant celui ou celle dont il convoitait le bien à trop bref délai. *(Note du Major.)*

ne veut pas employer, et auquel elle souhaiterait faire perdre la face en l'appliquant aux dessous — le Fonds monétaire international lui-même en serait retourné.

Mais retournons, plus simplement, à M. Jaffredou et à la Société de Consommation.

M. Jaffredou, soixante-trois ans, ouvrier en retraite, *P'tit Louis* pour les amis, habite, dans le Maine-et-Loire, à côté de chez M. de Stumpf-Quichelier, une petite maison où, ménageant sa petite santé, sans renâcler aux petits travaux qui améliorent l'ordinaire, il coule une petite vie tranquille. La grandeur, il s'en tape — mais n'allez pas croire qu'il n'ait point sa petite idée là-dessus... Il ne se prive pas de la dire, à Mme Jaffredou d'abord, dans le pays ensuite.

Au cours des périodes troubles — occupation étrangère ou française — on remarque que M. Jaffredou n'est jamais du même avis que sa femme. Ce genre de différend intime qui chez nous resterait *off record*[1], est clandestinement porté à la notoriété publique. Du

---

1. « Privé. »

moins les Jaffredou s'arrangent-ils pour laisser entendre sous le manteau qu'*ils ne sont jamais d'accord.*

Dans un village où la tension politique fait éclore les lettres anonymes, la réputation d'un foyer en perpétuelle bagarre a pour curieux effet de le protéger : on a moins envie de taper sur des gens qui, déjà, se tapent dessus. D'après les Stumpf-Quichelier, ce genre d'assurance aux tiers date de l'occupation pendant laquelle M. Jaffredou, passant pour gaulliste, et sa femme, pétainiste, parvinrent à échapper à certaines vindictes en se vengeant officiellement l'un de l'autre.

Au cours des *récents événements* — comme vous dites sans avoir l'air de penser qu'il y en eut d'autres dans le monde — M. Jaffredou, antigaulliste, tenait sa gauche, Mme Jaffredou penchant à droite. Ils évitaient ainsi de se trouver au beau milieu des histoires. Leurs votes durent s'annuler dans les urnes. Je dis *durent,* car si l'on en juge d'après les chiffres de Saint-Sornin-sur-Evre, il y a tout lieu de croire que beaucoup de voix révolutionnaires opérèrent une mue au moment de s'exprimer. (En pensant à la victoire de Mme Jaffredou, je me demande après tout si elle ne symbolise pas celle de la femme, partisan de l'ordre, et devenue toute-puissante dans ce pays.)

Loin de moi pourtant l'incorrecte intention de violer le secret des urnes de Saint-Sornin-sur-Evre ! Si je fais allusion au dépouillement final, c'est que son mystère même est lumineux. Il m'éclaire en tout cas sur les curieux rapports que M. Jaffredou entretient avec la Société de Consommation.

M. de Stumpf-Quichelier — ce bourgeois chez qui Louis Jaffredou accomplit, à l'occasion, quelques menus travaux, des *bricoles* — m'a confié qu'il avait vu son voisin ouvrier passer en vingt ans de la bicyclette à la mobylette, de la mobylette à la motocyclette, et de celle-ci à l'Amie-7, nonobstant la vignette, les frais d'éducation d'une grande fillette et la modernisation d'une kitchenette (à noter du reste que, s'il dispose d'un transistor à cassette, M. Jaffredou n'a pas été contaminé par la S.D.C. au point d'intégrer les *water-closets* à sa fermette : le cabanon tient bon).

— Tout compte fait, m'a dit M. de Stumpf-

Quichelier, ce type qui doit voter communiste est devenu plus bourgeois que moi !

— ... ?

— La voiture, mon cher Major, la voiture !

— *So what ?* N'en avez-vous pas une plus puissante ?

— D'accord. Mais la question n'est pas là. Si du haut de mon appartement je vois des *enragés* se ruer sur ma bagnole et y foutre le feu, qu'est-ce que je fais ?

— *I don't know...* Vous descendez !

— Très peu, Major, très peu ! Pas fou... ! Je ne bouge pas. Je râle, d'accord, mais je ne bouge pas. Les assurances, c'est fait pour quoi ? Et même si l'assurance ne marche pas, vous croyez pas que je vais risquer ma vie pour une voiture, non ?

— *Well...*

— Eh ben, vous savez ce qu'il m'a dit, Jaffredou, quand les étudiants ont commencé à chahuter les autos : «Ah ça, si y en a un qui vient toucher ma bagnole je l'flingue !» Et, aussi sûr qu'il a sa carabine de chasse pendue au portemanteau, il le ferait, mon cher, il le ferait !

Quoique je connaisse le penchant du Français pour la carabine, cette révélation m'a laissé pantois. Pourtant je m'en suis aperçu moi-même par la suite : ce qui a le plus ému M. Jaffredou dans les désordres révolutionnaires, c'est le sort que les émeutiers ont fait subir aux voitures. Sur ce plan, il me paraît plus assujetti à la S.D.C. que M. Dagebörd ou Mr Lippcott.

Que l'on saccage les coulisses de l'Odéon transformées en dortoir (le fils Dagebörd eût peut-être occupé mais laissé les lieux en meilleur état), que l'on transforme la Sorbonne en camp retranché, que l'on barbouille les fresques de Puvis de Chavannes, que l'on scie des arbres, que les étudiants se bagarrent avec les C.R.S., qu'ils les traitent même de S.S., que dans la liesse de cette sanglante kermesse une certaine jeunesse, pas forcément estudiantine, fasse le V de la victoire avec ses cuisses dans le jardin de Cluny — passe encore, puisqu'il faut bien que jeunesse se passe et qu'elle peut très bien se passer, en tout cas, de Puvis de Chavannes. Mais renverser des voitures et y mettre le feu, alors ça, non !

— Avouez, m'a dit M. Jaffredou, qu'ils auraient pu s'arranger autrement ! Brûler des voitures !

La liberté de circuler serait-elle devenue en France plus importante que la liberté de penséc ? M. de Stumpf-Quichelier le croit, M. Jaffredou le prouve. Révolutionnaire bon teint, P'tit Louis voit rouge si l'on s'en prend à sa voiture. Est-ce à dire que M. Jaffredou voue un culte à son Amie-7 comme s'il s'agissait d'une déesse et qu'à ses bougies il brûlerait un cierge ? Serait-il inconsciemment devenu adorateur de cette S.D.C. que les révolutionnaires chargent de tous les maux ?

Jusqu'à un certain point seulement et ce point-là, c'est le point mort.

Je m'explique.

Disons d'abord que les retournements de M. Jaffredou sont aussi imprévisibles que ceux de M. Taupin. Si celui-ci peut, dans la quinzaine, passer du camp de la rébellion dans la légion de l'ordre, M. Jaffredou est tout à fait capable de pique-niquer au bord d'une route dangereuse pour couver du regard son Amie-7 chérie, et, le lendemain, faire partie d'un défilé qui stigmatise la Société de Consommation.

M. Jaffredou est très ennuyé, sans doute, en période de grève générale, de ne pouvoir circuler faute de carburant, mais son ennui n'est pas tout à fait comparable à celui qu'éprouveraient dans les mêmes circonstances Sven Dagebörd ou Cyrus B. Lippcott. Il dispose en effet de ressources intérieures qui leur font totalement défaut. Le désagrément qu'il éprouve à manquer d'essence, d'électricité ou de tabac est largement compensé par le secret plaisir qu'il goûte à savoir les autres, *les gros* (parmi lesquels M. de Stumpf-Quichelier, bien sûr), encore plus enquiquinés que lui.

A l'instant où le Danois, l'Américain et l'Anglais commenceraient à la trouver mauvaise, il ne peut s'empêcher, en voyant Mme de Stumpf-Quichelier pédaler pour aller à la ville, de se dire qu'elle est bien bonne. Il a sur ces étrangers assujettis à la S.D.C. une supériorité écrasante : le côté *à la guerre comme à la guerre ! ...Ça leur fera les pieds ! ... On en a vu d'autres...* La voiture ? On s'en passera. La Télé ? On s'en fout ! Le téléphone ? Ça sert qu'à être emmerdé.

M. Jaffredou, altruiste, ne pense pas d'abord à lui. En disant *Ça leur fera les pieds !* déjà il se sent mieux.

Que tout le monde *marche* est au fond un de ses plus vieux rêves.

Et peut-être une des clefs du caractère français. Puis-je rappeler que c'est elle qui entrouvrit à mes oreilles stupéfaites la porte de la France ?

C'était trois ans après la libération de Paris — due comme chacun sait (et comme les enfants des écoles commencent à l'apprendre) à la division Leclerc malgré la résistance des Anglo-Saxons. La vie n'avait pas encore repris son aspect tout à fait normal et les wagons-lits étaient rares. J'étais allé accompagner mon traducteur gare de l'Est, gare maudite où si souvent il s'était embarqué vers les sinistres casernements de Nancy ou de Metz pour le service militaire, pour des « périodes », pour Munich, pour la guerre. Cette fois — une fois n'est pas coutume — c'était pour le ski : ses enfants allaient passer en Autriche les fêtes de Noël. Encadrant deux voitures de sleepings, toutes occupées mais dont les couloirs étaient

dégagés, les wagons de 2ᵉ et de 3ᵉ classes
étaient archicombles, jusque dans les soufflets
où adultes et enfants s'entassaient. A côté de
moi, sur le quai, une femme — une mère — qui
avait, elle aussi, accompagné son fils à la gare,
enrageait de le voir partir assis sur une valise.
Comme le train démarrait, elle s'écria :

— Si c'est pas malheureux tout de même !
Voir des gens qui peuvent s'allonger dans des
lits pendant que les autres voyagent debout !
J'te mettrais tout le monde en troisième, et
allez !

Si elle avait été Américaine, cette femme eût
sans doute rêvé d'un univers où tout le monde
pourrait voyager en sleeping. Mais elle était
Française, d'un pays où la salle de bain est
encore considérée comme un luxe[1], et son
rêve d'un monde aussi inconfortable que possible pour tous fut pour moi une révélation.

Mon traducteur a raconté beaucoup d'histoires sur la façon dont naquirent mes premiers *Carnets*. N'a-t-il pas été jusqu'à prétendre

---

1. Même dans beaucoup d'immeubles bourgeois du XVIᵉ ou
de Neuilly, il est parfois difficile de faire couler un bain chaud
le samedi ou le dimanche, les locataires ne prenant tous leur bain
que ces jours-là... *(Attestation du Major.)*

qu'il en avait eu lui-même l'idée, une nuit, sous le prétexte qu'un cauchemar lui avait remis en mémoire la silhouette d'un Major sous les ordres duquel il avait accompli la retraite de Dunkerque et qui me ressemblait comme un frère ?

Preposterous[1] *!* Les *Carnets,* s'ils sont un peu liés, je dois le reconnaître, à l'existence de mon traducteur, n'ont pas d'autre lieu d'origine que la gare de l'Est. C'est là que la réflexion d'une Française m'incita à prendre pour la France un billet sinon forfaitaire du moins fortuit.

⚜

A ce souvenir-clef, les pensées de M. Jaffredou m'ont irrésistiblement ramené.

Je voudrais bien être sûr que ses aspirations à la cogestion, à la participation, à la suppression des *monopoles capitalistes* ne sont éperonnées que par le désir de voir tout le monde bénéficier d'un meilleur niveau de vie. Mais j'en viens parfois à en douter.

1. « Ridicule ! »

Je lui ai demandé ce qu'il ferait en premier lieu si la révolution le portait au bureau de P.D.G. de M. de Stumpf-Quichelier ou de son ancien patron.

— D'abord vérifier combien il s'envoyait comme salaire brut et notes de frais, ça doit pas être cochon...

— Et puis?

— Je te le ferais descendre au S.M.I.G. comme tout le monde et que ça saute ! Ça lui ferait les pieds !

— Mais vous?

— Moi, on verrait ça après !

Plutôt que de voir beaucoup d'autres — et lui-même — vivre mieux, M. Jaffredou serait-il d'abord tenté de voir certains vivre moins bien?

C'est la question que je me posai en quittant Jaffredou Louis — et à laquelle je m'excuse de ne pas avoir encore répondu.

Mais je ne pouvais m'empêcher de penser ce soir-là que les Français, capables de donner des leçons de bonheur à tout le monde, ne sont jamais tout à fait à l'aise avec l'argent : ils veulent toujours paraître plus riches ou plus pauvres qu'ils ne le sont. A l'instar de ces soyeux lyonnais qui semblent ne jamais montrer que le revers de leur fortune, M. de Stumpf-Quichelier, qui pourrait rouler en Bentley histoire de ne pas en étaler avec une Rolls *(Que diraient mes ouvriers !),* camoufle ses moyens dans l'anonymat d'une 404 noire. Il a décrété que cette année de *vaches maigres* n'était pas indiquée pour se produire aux Baléares, et que la famille pouvait fort bien passer l'août dans le Maine-et-Loire. Les Jaffredou, qui n'ont pas les moyens de cultiver de tels scrupules, lui ont envoyé une carte de Majorque, et M. de Stumpf-Quichelier s'est demandé une nouvelle fois comment diable ils pouvaient dépenser tant.

Ce besoin de paraître — ou de ne point paraître — serait-il la forme la plus subtile — j'allais écrire la plus habillée... — de notre vieux et shakespearien être ou ne pas être ? Les Anglais y échappent, sans doute faute de pouvoir saisir. Devant la pièce de théâtre la plus obscure du monde, devant la toile la plus abstraite — dont le peintre lui-même affirme qu'il n'y a rien à expliquer «parce que ça ne s'explique pas» — M. de Stumpf-Quichelier ne restera jamais aussi hermétique que moi. Qu'il n'y ait rien à comprendre déroute son esprit cartésien mais le tourmente assez peu. Que les gens présents *puissent penser* qu'il n'a pas compris l'inquiète beaucoup plus. Et, tandis que mon apparence reste désespérément la même, il sauve la sienne.

Si nous abandonnons ces sphères intellectuelles pour aller dans la rue et quittons M. de Stumpf-Quichelier pour M. Pochet, la question reste entière. Le premier souci d'un Londonien auquel un coup de vent a fait perdre son chapeau dans la rue, c'est de rattraper le chapeau. Le premier souci de M. Pochet dans le même cas sera de regarder discrètement alentour pour savoir si personne n'a été témoin de sa gêne.

VI

LE CALENDRIER DES FRANÇAIS

Dɪsons les choses comme elles sont, ou plutôt comme vous les diriez: le *Mouvement du 22 mars,* qui s'est amplifié en avril pour atteindre sa pleine extension en mai et se voir «sanctionné» le 23 juin, aura singulièrement contribué à ma réadaptation après tant d'années d'éloignement. Et mes connaissances de ce pays seraient restées bien fragmentaires si vos révolutionnaires journées n'étaient venues à point en étayer les *structures.*

Événements majeurs, mémorables semaines entrées de plain-pied dans le calendrier historique des Français, déjà lourdement chargé.

Que les Français aient la date dans le sang, au point que leurs enfants apprennent à s'orienter sur les ténébreux chemins de l'Histoire à l'aide d'un véritable code de dates-phares clignotant à jamais dans la mémoire — 732, 1214, 1789 — je le savais, *of course.*

C'est même un plaisir à nul autre pareil que de voir les conducteurs les plus expérimentés rouler immobiles sur la Nationale du Temps au volant de cette glorieuse routière 4-Quinze à grand rayon d'action : 1415, 1515, 1715, 1815. Azincourt effacé par Marignan, et les dernières lueurs du Roi-Soleil projetées sur Waterloo... quatre cents ans en deux secondes... qui ferait une meilleure moyenne ?

Je savais que les Français entretiennent avec une telle vigilance l'historique jardin de leurs éphémérides — 14 juillet, 11 novembre, 2 décembre — qu'il ne leur reste plus qu'un mois sur douze encore ouvert au crédit d'une révolution, d'un armistice ou d'une émeute : janvier[1].

---

1. « L'édit de Janvier » par lequel Catherine de Médicis faisait quelques concessions aux protestants est peu à peu tombé dans l'oubli. *(Note de l'éditeur.)*

Je savais que — 6 février, 13 mai ou 4 août — chacune de ces dates agit sur la mémoire automatique de M. Taupin ou de M. Pochet comme une carte perforée dans un ordinateur, en y faisant tomber illico le millénaire correspondant. Chacun de ces chiffres évoque chez eux le souvenir d'une fusillade, d'un changement de régime ou d'une nuit révolutionnaire aussi sûrement que *Thanksgiving* ou *Christmas* dégagent chez d'autres un parfum de dinde ou de pudding.

Je ne conteste pas, quoique ce soit la mode, que 1066[1] nous dise quelque chose. Nous avons même la manie, dès qu'un champion se foule la cheville en finale du tournoi de Wimbledon, de rappeler que la chose arriva une fois en 1907... mais enfin il faut bien reconnaître que les Français sont sans doute un des rares peuples de l'univers, avec quelques républiques sud-américaines, à ne pas trouver incomplète l'appellation d'une artère lorsqu'ils la dénomment rue du 4-Septembre ou du 29-Juillet. S'il en est qui sont incapables de

1. Victoire de Guillaume le Conquérant à Hastings. *(Note du Major à l'intention des Français.)*

dire les années auxquelles se raccrochent ces
dates, ce n'est point qu'ils ne les savent pas ;
ils ne s'en souviennent plus. Nuance. Ça leur
reviendra. Quant aux autres — je veux dire
ceux qui naissent, vivent et meurent rue du
4-Septembre sans savoir très bien s'il s'agit de
1792 ou 1870[1] — Dieu leur pardonne ! Après
tout il y a, chez vous comme chez nous, des
gens qui parlent sans cesse d'aller à Canossa
pour un oui ou pour un non et décèdent sans
avoir jamais cherché à savoir où était Canossa
et ce qui s'y passa.

Ce que je ne savais pas encore, ce que
j'ignorais faute de l'avoir constaté *de visu*,
c'est le mûrissement instantané de la date
historique sous vos cieux. Il faut être aussi
bête qu'un Anglais — si l'on y parvient (car
il y a des domaines où notre génie est sans
égal et nous permet, par exemple, de ne pas
même réfléchir à l'éventualité d'un armistice

---

1. Je signale à tout hasard, et au lecteur dans le doute : 1° qu'il
s'agit non pas des massacres du 4 septembre 1792 mais du
4 septembre 1870, date de la révolution qui, à la suite de Sedan,
renversa le Second Empire et proclama la III République ; 2° que,
Parisien de cinquante-cinq ans et bachelier, je viens de l'apprendre dans le Larousse. *(Note du traducteur.)*

avec les nazis) — pour s'étonner de ce phénomène, spontané dans un milieu qui fabrique
l'Histoire au présent : les étudiants de 1968
ne s'étaient pas rebellés depuis plus de huit
jours que tous les journaux parlaient du *Mouvement du 22 Mars* comme s'il avait déjà son
square.

ж

Nous ne saurions vous concurrencer sur ce
plan — ni dans le présent ni dans le passé :
aucun *Square du 18-Juin* ne rappelle chez nous
l'une des plus belles journées de notre Histoire : Waterloo[1]. Dieu sait si chez vous ce
jour aurait sa place... Que dis-je ! Il en a
mille !... Car vous avez réussi à vous donner
pour guide quelqu'un qui, ayant pris date avec
l'Histoire, aura su s'imposer comme *l'Homme
du 18 Juin* sans que cela vous rappelle le moins
du monde une de vos plus damnées défaites !
Marvellous !

Mais il y a plus fort. L'Homme du 18 Juin,
à la faveur d'événements dramatiques, prend-il
la parole à la TV pour lancer un appel à la

1. 18 juin 1815. *(Note de l'éditeur.)*

nation et lui annoncer que la République est
en danger? Le chef de l'opposition fait aussitôt
une déclaration solennelle pour dire que la
voix que l'on vient d'entendre (un 30 mai)
*«c'est la voix du 18 Brumaire, c'est la voix du
2 Décembre, c'est la voix du 13 Mai»*.

Il y aurait là, pour un néophyte étranger
comme moi, de quoi perdre son latin s'il en
avait. Eh bien, il faut croire que pour vous
c'est à la fois très clair et insuffisant, puisque
dans un des journaux les plus sérieux de
l'univers, et qui d'ailleurs s'appelle *Le Monde,*
un non moins sérieux expert consacrant un
article aux journées révolutionnaires du mois
de mai, écrit: *« On ne reviendra pas si facile-
ment sur ces nuits du 4 août. »*

Qui dit mieux?

Si j'ajoute que cette pertinente étude des
contestations de printemps a pour titre *Un
Thermidor étudiant* et que Thermidor, comme
chacun sait, marque les chaleurs révolutionnaires de juillet-août, la performance est
complète. Franchement, sur ce terrain, vous
êtes imbattables et malgré notre amour ma-
niaque des précédents, du passé et de la

tradition, nous ne vous arrivons pas à la cheville. Une preuve, parmi les plus récentes, c'est que nous ne parlons jamais du 6 juin pour le débarquement (pas même à celui qui allait devenir votre président et en est resté si courroucé) mais de *D-day*. Faut-il voir là signe de paresse ou trace de l'influence yankee?... Vous êtes trop experts pour ne pas apprécier vous-mêmes.

Oserai-je toutefois vous signaler le danger que pourrait représenter pour la France un calendrier — sinon un avenir — trop chargé? Admettez par exemple qu'un de ces hommes à poigne comme vous les aimez après avoir goûté aux vertiges révolutionnaires, prenne le pouvoir un 18 juin. Quel est celui des deux qui conservera la priorité pour traverser l'Histoire nanti de cette date?

Cette fois, dans le doute, je préfère laisser à l'avenir, comme vous dites, le soin de répondre. Je me retire.

✳

Permettez, cependant, que je revienne un instant... Au moment où je me sens tenu de m'éloigner pour obéir aux règles de la simple politesse, un souci d'objectivité me commande de rester à cette place pour compléter cette brève étude par quelques remarques qui sont, une fois encore, tout à l'avantage de votre étonnant pays.

On dit les Italiens paresseux — et il est vrai qu'ils possèdent à peine 2 000 kilomètres d'autoroutes. Les Français, eux, bâtisseurs dans l'âme, peuvent s'enorgueillir à juste titre d'être les plus grands constructeurs de ponts du monde. Aucun peuple ne les égale sur ce plan : la France est la seule nation qui ait réussi, sans travailler plus de quarante-huit heures, à lancer trois ponts en une semaine et à les faire traverser par cinquante millions de personnes. Loin de moi l'idée de galéger : chacun a été témoin, il y a un an, de ce haut fait. Que le pays ait profité de l'Ascension pour l'accomplir n'enlève rien à sa valeur. Le plus étonnant du reste n'est pas ce record lui-même : c'est qu'il ait pu être battu par la suite.

Pont du samedi, pont du lundi, ponts religieux, ponts laïcs, ponts chômés, ponts fériés, ponts à la gloire du travail, ponts à la gloire de la grève, ponts à la gloire de la gloire, ponts suspendus à l'improviste entre deux ponts établis — tous les ponts sont dans la nature des Français. Capitulation, libération, révolution, tout finit en France par des ponts.

Comment l'Étranger ne verrait-il pas d'un œil jaloux les Français jeter leurs ponts? Il sait bien que, s'il s'y aventure, tout lui sera fermé. Qu'importe s'il déroule à leur barbe ses réseaux d'autoroutes. La France peut garder la tête haute sur ses ponts, forte de son bon sens: ce n'est pas elle qui mettrait ainsi la charrue devant les bœufs. Car enfin, sans ponts, comment profiter à loisir des autoroutes? Il est logique que les Ponts et Chaussées, tout aux premiers, négligent les secondes.

Saurait-on même parler de négligence? C'est avec une joie sans mélange qu'après ces autoroutes italiennes ou allemandes qui n'en finissent pas, on retrouve les incomparables plaisirs des mini-routes françaises avec leurs pique-niques au gas-oil, leurs tribunaux champêtres, leurs dos-d'âne, leurs poules en goguette, leurs poulets banalisés et l'éternelle éclosion de l'Opération-Primevère.

D'autres peuvent bien se vanter d'avoir des milliers de kilomètres d'autostrades : la France se devait de posséder le réseau routier le plus expressif, sinon le plus spirituel, du monde. Entre les pancartes d'hôtels ou de restaurants : *Le Commerce : son calme... Chez Léon : son pâté,* les apanages des localités : *Embrun : son roc... Longwy : ses remparts de Vauban... Laon : ses escaliers,* et les panneaux classiques de signalisation : *Accotements non stabilisés... Ligne jaune non refaite... Travaux sur 3 km... Déviation... Gravillons... Passage de piétons,* c'est une telle conversation à bâtons rompus qu'en fait, si l'on voulait tout lire, on irait sans cesse dans le décor.

En attendant d'y aller avec M. Pochet, revenons donc aux ponts, domaines où le calendrier français n'est comparable à aucun autre. L'an dernier, comme je m'extasiais devant ce joli mai français devenu le plus gigantesque entrepont du monde, mon traducteur m'écrivit :

— Vous verrez... Si rien ne vient nous

empêcher de ne rien faire, nous sommes en passe de lancer l'an prochain un pont colossal qu'il ne faudra pas moins de trente jours pour traverser[1]. Cet ouvrage énorme, jeté au-dessus du néant de mai par le service des Ponts et Chaussées, permettrait aux rescapés de Pâques de préparer enfin à tête reposée la mobilisation des grandes vacances.

Incredible! Sa prédiction s'est réalisée. Presque jour pour jour. Il n'avait pas prévu la révolution, bien sûr — contrairement semble-t-il à tous les orateurs de l'Assemblée Nationale qui, à les entendre parler aux heures critiques de la nécessité évidente de réformes, n'avaient attendu qu'un geste, sinon un mouvement, pour en débattre — mais peu importe : l'insurrection aura aidé les Français à justifier son pronostic, car, en plein bouleversement social, le pays a montré qu'il conservait intact le respect des ponts[2].

---

1. Effectivement prévu dans *Le Figaro* du 9 août 1967.
2. Mon traducteur a rappelé dans un récit comment, le 10 juin 1940, alors que Paris allait être investi par l'ennemi, un officier aux armées lui offrit de prolonger d'une journée sa permission de 48 heures puisque son retour au corps « tomberait un jour férié ». *(Note du Major.)*

C'est le mercredi d'une semaine mémorable entre toutes que je rencontrai M. Brabanchon. Quoique paralysé depuis quinze jours déjà par les grèves, le pays était en proie à la plus extrême agitation, le cœur latin de sa capitale lacéré par les émeutes. La nation entière était suspendue aux lèvres de l'oracle, je veux dire aux paroles qu'allait incessamment prononcer son guide, fraîchement revenu de Roumanie. Je pensais que le premier des Français — qui n'est pas effectivement le Premier mais le premier au-dessus — allait parler dès le lendemain jeudi.

— Vous n'y pensez pas ? me dit M. Brabanchon. C'est l'Ascension ! Nous sommes bien en pleine escalade révolutionnaire, mais tout de même pas au point de sauter l'Ascension ! On va poireauter jusqu'à vendredi, c'est tout vu ! Non mais... vous vous rendez compte, Major ? Un pays prétendu laïc ! Il y a de quoi se marrer !

Je dois préciser ici que M. Brabanchon, apparemment anticlérical, est catholique pratiquant, mais à ses heures seulement ; et que, bourgeois, il s'insurge contre le pouvoir personnel mais n'en redevient pas moins farouche partisan de l'ordre quand on commence à scier des arbres. Bref, c'est un Français, un vrai, que les Français font *rigoler doucement* — entendez : grincer des dents. Car lorsque M. Brabanchon dit *Ils me font rigoler !* il y a gros à parier qu'il n'a jamais été plus sérieux.

On comprendra que j'éprouve autant de difficultés à m'y retrouver dans le calendrier privé de M. Brabanchon que dans les lunaisons historiques de la France[1]. Je ne sais jamais très bien où il en est. Reprenons-le donc là où il en était :

— Franchement, Major, ils me font marrer ! Enfin quoi : on vient d'interdire le retour en France d'un jeune juif plus ou moins apatride auquel les travailleurs doivent le déclenche-

1. Il faut noter que le calendrier purement climatique de la France est tout aussi déroutant. Le touriste y joue une perpétuelle partie de cache-cache avec «la meilleure époque». Je pensais que mon traducteur exagérait en écrivant, dans un de ses livres à lui, qu'elle se situait immédiatement avant ou quelques jours après celle que vous avez choisie. *How foolish !* me disais-je, il ne sait quoi inventer pour écrire. Mais il me faut bien le reconnaître : si je vais dans le Midi en septembre, il y a toujours des gens pour regretter que je ne vienne pas *quand les mimosas sont en fleur ;* et j'arrive presque toujours en Normandie quand on déplore que les pommiers n'en ont plus. Je dis *presque,* car une fois j'y fus à temps : M. Taupin, qui grelottait, me dit alors : *Pour la Normandie c'est trop tôt, il faut attendre juillet. (Note du Major.)*

ment de leur action... et on nous fait droguer jusqu'à vendredi comme si nous étions gérés par le Vatican ! Pour quoi après tout ?... pour honorer la mémoire d'un autre Juif — de Galilée celui-là ! Pas comparable au premier bien sûr, mais pas moins révolutionnaire... Non, il y a de quoi se taper le derrière par terre !

Un mois plus tard, M. Brabanchon votait gaulliste et, profitant d'un pont jeté à la hâte entre deux autres, ajoutait deux jours à ses vacances en partant un vendredi soir. Suprême astuce des Français qui font *partir* leurs vacances quarante-huit heures seulement après être partis eux-mêmes.

On voit donc que s'ils pestent parfois contre les ponts, M. Brabanchon comme M. Pochet n'en jugent pas moins bon pour eux le pont qui vient à point, et qu'ils se chargent même d'étirer. J'en sais même qui, partis glorieux pour le week-end-le-plus-long, n'en sont pas encore revenus. Il est vrai que, de notre temps, les gens bougent tellement que l'on est tout surpris de trouver quelqu'un à sa place : «Comment, vous ne faites pas le pont ?» lui dit-on comme s'il se dérobait à un devoir national. Les pères de famille grand standing sont peut-être les moins sérieux — que dis-je !... les plus appliqués de tous : aux vacances scolaires, ils ajoutent voyages d'affaires, séminaires, détentes de fin de semaine. On aurait tort de croire que ces gens-là prennent des vacances. C'est là un mot que leurs secrétaires ne prononcent pas : ils sont *en déplacement, en province, à l'étranger, absents de Paris, en voyage* — jamais en vacances. Épuisant.

⁂

Et plein de périls. Car on sait trop ce que les ponts, dangereusement franchis par des millions d'automobilistes, valent à la France de morts et de blessés.

C'est pourquoi je m'étonne hautement qu'aucun observateur, aucun sociologue, aucun statisticien n'ait souligné, à ma connaissance, un des faits capitaux des récents événements révolutionnaires : à savoir que la France de 1968 évita un grand massacre par une petite insurrection.

Se rend-on bien compte de ce qui se serait passé si un groupe d'étudiants plus ou moins responsables — mais à coup sûr responsables d'un des plus sérieux chambardements sociaux que la France ait connus depuis trente-deux ans — n'avait, comme vous dites maintenant, *déclenché le processus de l'escalade* en *engageant le dialogue* par un coup de pied incongru à la base des institutions ?

Au lieu de quatre morts et trois mille blessés, la France, la France pacifique, je veux dire celle qui, ouvrière spécialisée ou cadre décrocheur, part chaque samedi en guerre sur les routes, eût pleuré sans doute les 450 tués et 11 500 blessés que lui valent en moyenne cinq week-ends de printemps au champ d'horreur routier[1].

Vraiment... on ne saura jamais assez gré aux jeunes *enragés* révolutionnaires de leur soudaine initiative qui, tout en permettant à la C.G.T., à la C.F.D.T. et autres C.Q.F.D. de prendre en marche un train ne figurant

---

1. Pour le joli mois de mai 1967, morts et blessés de week-ends : 433 et 11 572 ; total des morts et blessés : 961 et 26 792.

sur aucun horaire de base, auront empêché le peuple de prendre la route à toutes pompes faute d'essence. Le voilà bien le mérite de cette merveilleuse jeunesse, dont G.B. Shaw avait finalement tort de regretter qu'elle fût gaspillée par des enfants ! Amérique, Allemagne, Italie, Grande-Bretagne même, qui déplorez vous aussi chaque semaine tant de morts stupides, combien gagneriez-vous à vous inspirer, une fois encore, de l'exemple du peuple français ! Toujours habile à jouer sur les mots, il aura démontré, mieux qu'aucun autre, que les colloques évitent les collisions.

Et son ministre du Tourisme aurait pu, à juste titre, poursuivre en pleine bagarre sa propagande à l'étranger :

« Visitez la France insurrectionnelle ! Le seul pays du monde qui compte moins de tués en période révolutionnaire qu'en temps normal. »

※

On l'a bien vu dès que la paix sociale eut été rétablie : quelques heures après le jour de la désescalade — un lundi de Pentecôte comme par hasard — les routes étaient de nouveau jonchées de morts et de blessés.

Car la France processionnaire, bravant la malédiction des statistiques, ne recule devant aucun pont. Roue dans roue, prête au choc, décidée à ne pas céder un pouce de terrain aux attaquants, elle se lance intrépide au combat. Sans doute chacun se sent-il protégé par un bon génie. Le génie que la France laborieuse met, tout naturellement, dans ses ponts.

VII

LA MOBILISATION
N'EST PAS LA GUERRE...

Oserai-je un jour aller à ce combat tout seul, comme un grand, et briguer ma place dans cette intrépide cohorte sans être protégé par le Saint-Christophe que M. Pochet conserve sur son tableau de bord malgré l'apparente décadence motorisée de ce martyr patron des Voyageurs, aujourd'hui en perte de vitesse?

Good Lord! Je n'en suis pas tellement sûr.

Ce n'est pas, franchement, question de sang-froid: le risque n'est point pour me déplaire. Mais le vocabulaire me manque — et l'art de savoir me mettre, en pleine paix, à la guerre.

Là encore, nous ne saurions nous mesurer à vous ; l'éducation nous commandant de ne point parler de ce que nous avons fait de mieux et de nous taire sur ce que font les autres, je me suis toujours demandé comment nous arrivons à consacrer autant de temps à la conversation. Probablement grâce au temps. Mais là n'est pas le problème, et je me garderai bien de trancher une des rares questions pendantes dans ce monde qui veut, subitement, tout expliquer. Pour en revenir au point qui me préoccupe, force m'est de remarquer que nous ne portons nos décorations dans le civil que si nous y sommes formellement invités par un bristol, à l'occasion d'une réception. Une fois débarrassés de la guerre, nous n'aimons ni la rappeler par le revers — si brillante qu'ait pu être notre conduite — ni la *remâcher,* contrairement à certains Français qui, en ayant terminé avec la guerre, la mangent : les obus de Verdun font encore les beaux jours des confiseurs de la ville-martyre et marquent, au chocolat, une singulière différence dans nos goûts. Quoique nous adorions les sucreries, il ne viendrait à l'idée d'aucun pâtissier du Royaume d'offrir à son honorable clientèle des boulets de Trafalgar en nougatine ou une torpille de Scapa Flow caramélisée. Manque d'imagination sans doute ou simple carence d'esprit de la part de gens dont les silences sont, je le reconnais... déroutants. Je me trouvais il y a peu dans une maison du Shropshire où, au cours d'un cocktail, un jeune homme français en vacances expliquait à un paisible quinquagénaire comment il avait retourné sur ses assaillants une grenade lacrymogène boulevard Saint-Michel en mai 1968. A voir l'attention que l'honorable gentleman lui prêta vingt minutes durant sans demander la moindre réciprocité, comment son jeune interlocuteur aurait-il pu supposer qu'il avait affaire à un vétéran de la Royal Air Force, D.S.O.[1] même pour avoir été dix-sept fois se baguenauder dans un ciel d'enfer au-dessus de Berlin? Il faut être Anglais pour abuser ainsi les gens en gardant le silence.

Je ne vois pas, en tout cas, comment des

1. *Distinguished Service Order,* l'une des plus hautes décorations britanniques pour fait de guerre. *(Note du traducteur.)*

locutions telles que *Au temps pour les crosses!*
et *J'veux pas le savoir!* qui fleurissent spontanément sur les lèvres des Français en temps
de paix, notamment en vacances, me vien-
draient à l'esprit au même moment.

En parlant, à propos des ponts, de ne *pas
céder un pouce de terrain,* j'ai dû obéir sans le
savoir à l'étrange loi guerrière de ce pays.

Que la France, douce colombe, soit éternellement sur le qui-vive, tendre proie guettée
par des ennemis féroces ou déchirée par les
divisions de ses propres citoyens — je n'en ai
jamais douté, puisque vous ne cessez de le
dire, voire de l'écrire, et qu'il ne serait pas
good sport de mettre votre parole en doute.
Il me restait encore à constater, *de visu* et *de
auditu,* que son euphorie la plus pacifique
résonnait d'accents militaires.

⚜

« Le grand exode est commencé »... *« Dispositif
d'alerte renforcé »*... *« 40 000 spécialistes mobili-
sés pour la grande offensive d'été »*... *« Conseil de
guerre en rase campagne pour les suspects »* — les
annalistes de cette fin de siècle noteront sans

doute que, dans les années 60, aube de la civilisation des loisirs, la tête de pont occidentale, en sursis d'apocalypse, appliqua peu à peu aux vacances le vocabulaire de la guerre.

Chaque mois d'août revenant prend le visage de Mars.

L'heure H est devenue l'heure V.

Les journaux, la radio, la télévision n'attendent pas cet instant pour prévenir le pays de l'imminence du danger : dès la fin de juin, ils lui indiquent les premières précautions à prendre pour éviter l'encerclement, le blocus ou l'écrasement. Aux approches de juillet, la tension nationale augmente de minute en minute. L'état d'alerte est décrété. La veillée d'armes s'organise. Les spécialistes — police, gendarmerie, gardes mobiles, maîtres baigneurs, gardes-côtes, gardes champêtres, motards, agents secrets banalisés — rappelés d'urgence, sont déjà à leur poste, prêts à encadrer les millions de recrues : fraîche et joyeuse, l'armée des *vacanciers.*

Quelques jours passent dans la fièvre. Et c'est la mobilisation générale, annoncée sinon par affiches tricolores, du moins par man-

chettes : 31 MILLIONS DE SOLDATS PRÊTS A TUER
LE TEMPS DES VACANCES. La date reste à peu
près la même que celle de la dépêche d'Ems
ou du coup de Sarajevo : entre le 13 juillet
et le 4 août. Cette fois, pourtant, c'est vrai :
la mobilisation n'est pas la guerre. Elle n'en
est pas moins générale : *2 millions de Parisiens
fuient la capitale,* lit-on dans les journaux,
comme si Paris était menacé d'investissement
ou d'un bombardement qui rendrait l'air irres-
pirable. Les gares sont prises d'assaut. Déjà
des combats se livrent. Les premiers commu-
niqués sont signés par la S.N.C.F., et les
écoliers apprendront un jour, quand la civilisation des loisirs aura ses manuels, que le 1ᵉʳ août
1966, cinquante-deux ans après le déclenchement du conflit qui allait rendre à la
France l'Alsace et la Lorraine, les cheminots
parisiens embarquèrent en une journée la
population de Strasbourg : 229 000 personnes.
Quelqu'un parle de «deuxième bataille d'Aus-
terlitz», un autre des taxis de la Marne. *« J'offre
— décidément on n'en sort pas — les meilleures
garanties de sécurité»,* dit la S.N.C.F. *«Prenez
le train !»*

En effet l'avion, bien que très sûr, n'est pas sans risque. La plus grande confusion règne à Orly, où l'on signale de nombreuses escarmouches entre Français appelés à rejoindre leur corps sur la Côte d'Azur et étrangers de la 5ᵉ colonne parachutés en territoire ennemi et se prétendant prioritaires. *Ils ne passeront pas*[1] ! Les hôtesses-infirmières ont d'autant plus de mal à séparer les combattants que ceux-ci profitent de la situation pour les serrer de près. On soigne les premiers blessés dans des hôpitaux (toujours *improvisés,* car dus à la géniale improvisation des Français). Alors que les trains, même surchargés, laissent au moins la troupe à destination, des milliers de vacanciers aéroportés, arrivés à Nice un 2 août, ne mettent pas moins d'une heure à parcourir les cinq kilomètres qui séparent l'aéroport de la ville, une demi-journée, une journée entière parfois, pour fuir la cité envahie et gagner leurs cantonnements de plage ou de campagne.

༶

1. En Français dans le texte.

Sur la route, la bagarre est générale. Cinquante mille automobilistes essaient de s'échapper — en vain : M. Pochet, esprit logique, m'avait garanti qu'en prenant la route un lundi nous éviterions la cohue des fous qui s'étaient précipités sur elle le dimanche ; sans doute est-il loin d'être seul à n'avoir pensé comme personne, puisque tout le monde a dû penser comme lui, *Rubbish*[1] *!* Pourtant, c'est vrai : entre les futés qui n'ont pas hésité à partir le dimanche parce que des tas d'imbéciles veulent éviter la foule, et les malins du lundi qui sont assez bêtes pour ne pas faire comme les autres — un miraculeux équilibre s'est établi sans la moindre concertation, et il y a à peu près autant de monde sur la route les deux jours. De quoi rendre Pochet fou, s'il ne l'était déjà, de colère. On peut bien lui parler de l'étalement des vacances ! Ses vacances, les voici effectivement étalées sur une file de dix-huit kilomètres qui va rester immobilisée pendant une heure en direction d'un Midi problématique. Sa rage

---

1. « Ridicule ! »

lui passe par le pied qui enfonce l'accélérateur au point mort, ou par les mains klaxonnantes qui claironnent son humeur à l'univers. Univers fait, à son image, de milliers de Pochet, de Taupin, de Turlot, fantassins motorisés qui piétinent furieusement dans leurs carcasses de tôle hérissées de fusils sous-marins, de skis nautiques, de pelles, de piquets de tentes. Tous ces gens, qui ont mis un tigre dans leur moteur, rugissent mais ne bondissent pas.

Je constate que, malgré la situation apparemment désespérée, la bonne humeur a ses tenants : boute-en-train jusqu'au-boutistes qui font partie de toutes les mobilisations, crient indifféremment mais de la même voix vengeresse *à Berlin !* ou *à Cannes !* et dont le Chant du Départ retentit à travers les campagnes. Quelques paysans, abandonnant leurs tracteurs, viennent au bord de la route pour voir de près les gens de la ville déguisés en campagnards, leur parler, et sceller ainsi l'union sacrée. M. Pochet, à qui ces rodomontades rappellent certains départs gare de l'Est vers la ligne des Vosges, ne participe

que de mauvais gré à une allégresse forcée.
Pour son premier jour de bon temps, il est
plutôt de mauvais poil. Hérissé comme sa
galerie, il passe son humeur sur sa femme
qui-n'a-jamais-su-lire-une-carte, sur ses enfants
qui-n'avaient-qu'à-faire-avant, sur les autres
qui ne savent pas conduire. Quoique l'Angleterre ne soit guère plus avancée que vous en
ce domaine, il me prie d'excuser son pays
qui est *au-dessous de tout* pour les autoroutes.
Il comptait faire au moins 60 kilomètres à
l'heure. Il en fait 25 à l'ire. On lui bousille
sa moyenne. On lui fiche ses vacances en l'air.
On lui fait chauffer son moteur. Mais qu'est-ce
que les gens ont donc dans le crâne pour
vouloir tous partir au même moment ? Il faut
vraiment que le monde soit devenu fou !
Tout le monde sauf lui, qui a ses raisons
de chef de famille, contrairement à tous ces
gigolos, pour partir un 1ᵉʳ août.

Décidé à s'arrêter pour déjeuner avant
l'heure du déjeuner de façon à pouvoir faire
de la route pendant que les autres déjeune-
ront, M. Pochet — une fois n'est pas coutume — sélectionne une hostellerie deux

étoiles, fourchettes rouges, où le maître d'hôtel commence à le regarder de travers parce que les enfants ont demandé des œufs en gelée et du coca-cola. L'addition n'en est pas moins chaude.

Ayant essuyé sont premier coup de fusil, Pochet repart, plus furieux que jamais, pour constater que la route est toujours aussi encombrée. Il n'y a pas à chercher midi à quatorze heures : tout le monde a dû situer, comme lui, quatorze heures à midi. Insensé ! Le voici de nouveau mouton bêlant de son avertisseur sous la houlette de bergers casqués ou exécutant de petits bonds par saccades. Il avait dit à 6 heures du matin après un premier combat livré aux valises récalcitrantes : « Il n'y a plus une minute à perdre ! » C'est par heures entières que le temps fuit à toute vitesse, tandis que nous n'avançons pas. Pour mieux le tuer, Pochet ouvre la radio : histoire de se distraire il apprend de source sérieuse, et même sinistre, qu'en quarante-huit heures, déjà, 167 de ses semblables ont trouvé la mort sur le front des loisirs, que l'on dénombre 4 831 blessés et qu'avant la fin de

cette journée, la route fera 125 morts. Pourquoi pas lui, pendant qu'on y est... ce serait
le comble ! Mais le speaker-statisticien, déve-
loppant son faire-part nécrologique, évalue en
unités-Hiroshima une décennie d'hécatombes
routières. M. Pochet frémit, il en a la trem-
blote et manque d'un rien la collision qui
justifierait ces damnées prévisions.

Le voici derechef reparti en guerre contre
les Ponts et Chaussées qui s'ingénient à faire
des travaux au plus mauvais moment, contre
les gendarmes qui ralentissent la circulation
à plaisir, contre les insectes qui s'écrasent
de préférence dans son champ visuel, contre
la ligne jaune dont le pointillé l'obsède au
point qu'il finit par ne plus le suivre, contre
ces vacances de guerre, contre cette guerre
des vacances.

⚜

On ne dira jamais assez le courage, la sérénité, le sang-froid qu'il doit manifester en ces
instants psychologiques, pour ne pas faire
demi-tour vers les pénates abandonnés, déli-
cieusement calmes. Il est vrai que le demi-tour

est pratiquement impossible, et d'ailleurs non réglementaire. Pour canaliser l'exode, des sens uniques ont été institués. Tout retour en arrière serait voué à l'échec, tout abandon de terrain menacé de mort par percussion avec le flot descendant, ou passible de lourdes peines.

Car les forces de l'ordre sont aux aguets. A l'Opération-Overlord a succédé l'Opération-Vacances. Surveillés par 20 000 policiers, 14 000 gendarmes, 7 000 C.R.S. et motards qui les ont à l'œil et leur font souvent payer cher, guettés par les voitures-pie, traqués par les voitures-pièges, survolés par les hélicoptères, les récalcitrants ont — trop tôt — bonne mine. C'est une tentation à laquelle certains ne résistent pas, malgré la présence de tribunaux champêtres qui siègent en permanence à travers la campagne, dissimulés à la vue des soldats-vacanciers par un habile camouflage de bosquets ou d'arbres fruitiers. Sommairement jugé par un conseil de guerre expéditif, le franc-tireur coupable d'avoir mordu un morceau de ligne jaune au cours d'un dépassement intempestif est soumis

— parfois en présence du pays entier convoqué
à la télévision — à l'humiliation de l'alcootest,
au supplice de la roue bloquée, à la honte
de la suspension. La force de dissuasion routière, lui ayant fait restituer par le menu
les bribes de ligne jaune qu'il avait sur la
conscience, lui arrache son permis et le
dépouille de son bien automobilier. C'est la
honteuse capitulation en rase campagne,
l'affreuse dégradation qui fait passer l'insou-
mis, séance tenante, de l'état de surpuissance
enrichie à celui de piéton appauvri, démuni,
bientôt dirigé, avec armes et bagages, vers
la gare la plus proche et récupéré par la main
de fer de la S.N.C.F.

☙

La discipline, qui fait la force des armées
et la faiblesse des moyennes, visse donc
M. Pochet à son volant et l'incite à préférer
le sur-place aux peines infamantes.

Il avait mitonné amoureusement un itiné-
raire panaché de longs morceaux de routes
rouges, de petites bouchées de départemen-
tales et de succulents amuse-gueules dans des

restaurants***. Tous ses calculs sont déjoués.
L'envie le prend de tout plaquer et de regagner son domicile par le train, tel un vulgaire réfractaire. Mais non. Il se ressaisit : le devoir avant tout.

Encadré, surveillé, talonné, M. Pochet est obsédé par cette ligne jaune qui finit par l'hypnotiser comme un boa fascine sa proie. Ce ne sont plus des oreilles ennemies qui l'écoutent. C'est l'œil de la police banalisée qui l'épie. Qui sait si l'homme en polo-shirt qu'il s'apprête à doubler, et dont l'innocente voiture surmontée de filets de pêche et de pelles d'enfants ressemble à s'y méprendre à la nôtre, n'est pas un faux Pochet de cette cinquième colonne policière éparpillée dans les rangs des combattants de bonne foi ? Traumatisé, les nerfs en pelote, hanté par l'infraction, guetté par l'infarctus, il double dans la terreur, rétrograde dans la panique et, prêt à se prosterner devant le dieu-Gendarme en lui dénonçant son prochain, entend déjà une voix lui dire, comme à la caserne :

— Je ne veux pas le savoir !

Car il n'y a de pardon que pour l'espèce

de chauffard qui vient de le doubler en trombe. Un de ces chauffards que l'on rencontre partout et que l'on ne retrouve nulle part, bien entendu ! De même qu'il est extrêmement difficile de dénicher un ex-hitlérien en Allemagne, il est à peu près impossible de trouver un chauffard en France, du moins de faire sa connaissance ailleurs que dans les faits divers. A-t-on jamais entendu quelqu'un dire : «Je suis un chauffard»? Non. On voit, bien sûr, des chauffards sur la route ; mais à l'étape, ni vu ni connu, l'ivraie de la vitesse se mélange au bon grain de la prudence. Le chauffard se camoufle en père tranquille, tapote les joues de ses enfants et s'intègre, en douce, à 50 millions de bons Français.

Il est arrivé depuis longtemps, ce salopard, déjà couché sans doute et dormant du sommeil du juste lorsque, enfin, nous touchons au port en pleine nuit. Les jambes ankylosées, aussi fourbu que sa petite famille, Pochet trouve encore la force de sourire en descendant de voiture :

— On les a eus, Major !

Un bon bain. Un bon petit dîner. Un bon sommeil. Et la vie sera belle.

༄

Le petit hôtel simple-mais-confortable nous attend de pied ferme, avec son veilleur de nuit hagard et deux persiennes qui frappent en même temps que Pochet. Si l'on pouvait, exceptionnellement, lui servir un dîner léger dans la chambre... Les enfants sont si fat...

— A cette heure-ci, monsieur ! Mais vous n'y pensez pas ? Si tout le monde nous demandait ça ! D'ailleurs il y a longtemps que le cuisinier est parti.

Qui dort dîne ! Pochet monte, hébété, la famille suit. On leur avait promis le 26 sur la mer. Ils ont le 54 sur le train.

— Il en passe si peu ! dit le veilleur. Le premier est à 4 heures 20. Le deuxième à 6 heures 10...

C'est à se demander pourquoi il y a une ligne. D'ailleurs ça ne sera pas long : le 26 s'en va dans deux jours : les enfants avaient la rougeole. On ne peut tout de même pas les ficher à la porte.

— Comme ça vous n'aurez même pas besoin de déballer vos affaires ce soir ! dit le veilleur, pas mécontent, en introduisant les visiteurs au 54.

Avec ses deux lits-cages et ses deux lits d'adultes bloqués en parallélipipède rectangle, le 54 rappelle à Pochet la chambrée.

Tant pis. Il campera. Moi aussi. A la guerre comme à la guerre ! On n'a pas besoin de tellement de choses. Seulement un bain. Le 54, étant sur le train, est sans bain. On ne saurait tout avoir. Du reste, il y a une salle de bain à l'étage. *A cette heure, vous serez tranquille.* L'eau coule tiède. J'attends. Là, ça y est : elle coule froide. Je sonne. Personne. Re-sonne. Le veilleur, qui a de l'endurance, ne trouve pas l'eau si froide que ça. D'ailleurs elle ne coule plus.

— Pas étonnant ! Tout le monde tire en même temps avant le dîner. Alors après, zéro. La meilleure heure, ce serait le matin, vers six heures, avant que tout le monde tire. Alors là, il y en a tant qu'on veut et c'est bouillant !

Cet hôtel simple mais confortable devrait plutôt se dire confortable mais simple. Qu'à cela ne tienne : on se lavera demain. On mangera demain. On déballera demain. Une bonne nuit et on n'y pensera plus. Le veilleur avait raison en conseillant de ne pas déballer : on ne saurait pas où mettre ses affaires. Dans l'armoire de pitchpin dont une porte grince et dont l'autre n'ouvre pas, deux cintres se balancent et paraissent même se balancer de tout.

Ayant encagé les enfants, Pochet va au lit la route dans les jambes, le train derrière la tête. La grande misère des cintres l'a-t-elle impressionné ? Il songe que, pour partir au mois d'août, il faut être cintré. Vingt-sept millions de cintrés ça fait au bas mot quatre-vingt-dix millions de cintres. A ce compte-là, il s'endort et rêve de portemanteaux. Pas étonnant qu'il s'accroche et fasse tomber la barre. Au moment où il s'abat dans l'armoire sans fond, une automobile — encore un chauffard qui roulait tous feux éteints — défonce la porte. Pochet en sueur se réveille. C'est le train. C'est l'auto. C'est le portemanteau.

— Les enfants ! hurle-t-il.

Le 53 frappe contre le mur. Le 55 crie. Pochet veut allumer. Il sonne. Toujours la même histoire de poire dont on ne sait jamais si elle va allumer la femme de chambre ou sonner l'électricité. Ni l'une ni l'autre ne viennent. La France est un pays tatillon de poires à combinaisons. Pochet se rendort et fait des rêves en forme de poires.

❧

Il y a des lendemains qui chantent. Celui-ci hurle. Sont-ce les enfants du 53 ou le train de 6 heures 20? C'est le gosse du 55. Il vient de recevoir sa première taloche au moment où sifflait l'express de 6 heures 20 qui n'a pas eu le don de mettre son père en train. Dans les hôtels simples, pourquoi les cloisons seraient-elles doubles? On entend tout, sauf quand le train passe. Alors on n'entend plus rien.

Le petit déjeuner est frugal, le café aussi léger que les cloisons, le beurre presque aussi introuvable que sous l'Occupation, mais enveloppé de papier d'argent. Tout cela doit être calculé en fonction de l'incroyable vitesse avec laquelle la femme de chambre vient réclamer le fameux plateau.

J'accompagne la famille Pochet sur la plage. Par opposition aux palaces qui ont leurs plages privées, pardon... leur *beach,* l'hôtel simple est situé à confortable distance de la mer, que l'on a ainsi le plaisir de gagner. Au moins, si on ne la voit pas le jour, on ne l'entend pas la nuit.

— Laissons la voiture, dit M. Pochet à ses enfants. Allez ! Marchons... Une deux, une deux ! Rien de tel qu'une bonne marche, d'un bon pas, dans un bon air pur avant un bon bain — sinon une bonne paire de gifles peut-être ?

Refoulés comme des parias à l'entrée de plusieurs *beaches* réservés, nous atteignons la plage proprement dite, mais moins proprement tenue, dont l'accès libre n'en est pas moins souvent contrôlé.

— Avez-vous, demande un maître baigneur sec à Pochet en eau, votre carte de plagiste ?... Non ?... Alors il faut vous faire inscrire...

M. Pochet devient plagiste. Sa carte lui donne tous les droits du plagiste libre, notamment d'être sur le sable. Du moins sur ce qu'il en reste.

Pochet n'était pas loin de la vérité quand il pensait à l'Occupation. A l'instar de la demi-douzaine de départements sur lesquels la France estivale se replie en les submergeant, Ravanel-sur-Mer est à son point d'éclatement. Les retombées d'aoûtiens ont fait passer en deux nuits sa population de 200 âmes à 15 000 corps. Face à cette invasion, les autochtones organisent la résistance, défendent leur territoire pied à pied et, loin d'être noyés, noient l'envahisseur dans un jargon incompréhensible.

La plage est tellement noire de monde qu'elle en est brune ou blanchâtre : c'est à peine si, çà et là, parmi les peaux plus ou moins bronzées, on aperçoit du sable. Enjambant les corps, Pochet-plagiste et sa plagiste de femme, suivis de leurs Petits Dauphins déjà immatriculés au Club du même nom, viennent occuper quatre mètres carrés de terrain libre.

A mille kilomètres de l'impossible parking parisien, voilà Pochet parqué au sablomètre.

Lui qui croyait échapper au bruit et aux embouteillages, le voici pris dans un inextricable encombrement de chairs et soumis au supplice des transistors forcés. Lui qui voulait oublier la cohue du métro, il la retrouve ici, baptisée « ambiance » par affiches. Lui qui désirait vivre sans heure, sans rendez-vous, sans agenda, il est obligé de prendre date pour disposer, dans huit jours, d'un court de tennis pendant une demi-heure, de faire la queue pour un timbre, une glace, une douche, de répondre « Présent ! » au rassemblement des plagistes-culturistes de la plage. Lui qui, chef de service dans une importante société, a sous ses ordres vingt-cinq employés qui ne se permettraient pas la moindre familiarité, le voici morigéné comme un gosse par un professeur de culture physique qui lui tapote la brioche devant deux cents personnes en lui disant : *Faudra me faire disparaître ça !* l'enregistre sous le matricule 403 B et lui commande d'aller prendre sa place au bout de la file C. Lui qui avait fui Paris pour trouver le soleil, le voici contraint de fuir l'astre au meilleur moment de la journée, celui où son ticket de sablomètre lui donnerait des possibilités enfin étendues — sous peine de payer très cher le déjeuner inclus de force dans la pension de sa caserne hôtelière et annoncé à grands coups de cloche.

Ainsi passent les vacances de M. Pochet qui verra arriver fin août comme une délivrance, au point qu'il se surprend à penser comme à Lunéville : « C'est du cinq au jus ! » Heureux encore s'il regagne entier ses pénates, rescapé du reflux qui emportera vers Paris les soldats recrus de soleil.

VIII

L'ANCIEN SEXE DANS LA NOUVELLE SOCIÉTÉ

Vous avez fait des barricades sans faire de révolution et vous en parlez encore.

Nous avons fait une révolution sans faire de barricades, et nous en parlons à peine.

Encore faudrait-il s'entendre sur le sens que l'on donne à cette révolution. Le plus souvent, lorsque les Français parlent de notre « révolution sociale » — ces deux mots galvaudés ont pour principal effet de faire apparaître l'ex-Britannia frigide, navale et corsetée sous l'aspect d'une mini-girl abritant sa nudité d'un imperméable transparent dans un Royaume réduit à la seule Carnaby Street.

Simply vapid[1] !

Je ne saurais perdre de vue, bien sûr, le très perturbant spectacle que la Maison Mère de l'Empire offre aujourd'hui aux yeux exorbités d'un ex-Major de l'armée des Indes revenu au bercail après quinze ans d'absence... S'il est vrai que le général de Gaulle a souhaité, pour la revanche définitive des bourgeois de Calais, que l'Angleterre se présente nue à la porte du Marché commun, nous sommes sur ce que je n'ose appeler la bonne voie : nos filles montrent maintenant à tout le monde des choses que naguère on avait du mal à voir dans l'intimité et qu'il m'a fallu des mois pour découvrir chez ma première et défunte épouse Ursula. Dieu ait son âme sinon son corps ! Quand je pense au conseil qu'elle reçut de sa mère la veille de sa nuit de noces — *«Je sais, my dear... c'est écœurant ! Mais fais ce que je fis avec Edward : ferme les yeux et pense à l'Angleterre !»* — je me demande si je suis toujours sur la même planète.

Il me faut pourtant l'admettre : je suis. Et,

1. « Simplement insipide ! »

en dépit de mes sens alertés, je veux garder la tête froide. Sans doute les temps sont révolus où la très victorienne Lady Plunkett et ses amies allaient jusqu'à chausser de mousseline les pieds de leurs pianos à queue. *But what !* Beaucoup de jeunes Anglaises peuvent bien se laisser voir — du moins si elles sont assises, «jusqu'au mariage[1] » ; notre *Times* vénéré (et toujours *vénérable* dans votre jacassin national) peut bien se décider, après cent quatre-vingt-deux années de réflexion, à ôter en public sa longue chemise de petites annonces pour exhiber à la une le sein de ses informations[2] — on n'en continue pas moins à trouver dans les vertes profondeurs du Sussex ou du Somerset d'austères institutions sans miroirs où, le nu étant prohibé, les dignes héritières d'une aristocratie tenace prennent leur bain en combinaison et ne peuvent se promener — sous cloche de paille à jugulaire — que deux par

---

1. L'expression n'est pas de chez nous ; c'est celle d'une petite fille française assez précoce, en tout cas suffisamment informée, pour savoir qu'il devait se passer quelque chose d'important par là. *(Note du Major.)*

2. Vraiment « culotté »... mais ce *strip-tease* s'est arrêté là, et il y a tout lieu de supposer qu'il n'ira pas plus loin avant 2784. *(Note du Major.)*

deux (en changeant chaque jour de compagne).

Qu'est-ce que tout cela signifie ?

C'est très simple : tout a changé, et rien n'a complètement disparu. S'il faut de tout pour faire un monde, on trouve tout ce qu'il faut chez nous pour voir le monde que l'on veut. Puritaine Albion et *swinging England* ne font pas si mauvais ménage qu'on le dit ; elles se querellent comme il se doit, et cela peut aller jusqu'à la séparation de corps sans entraîner le divorce. Il y a même entre elles une tacite et mystérieuse entente dont les raisons, on va le voir, sont assez troubles.

Une nouvelle génération déchaînée — qui s'exprime parfois à coups de chaîne de vélo — ridiculise publiquement l'armée et va jusqu'à danser des *God save the swing ;* mais comment s'habille-t-elle, cette jeunesse audacieuse qui stigmatise les hideux uniformes des collèges ? En uniforme : éphèbes en tuniques noires néo-victoriennes, *girls* en cape de drap bleu marine ou ciré rouge, qui rappellent, à la longueur près, la tenue des infirmières du St. George's Hospital et que la *governess* la plus stricte n'eût pas rêvé de faire porter aux jeunes Fran-

çaises du bois de Boulogne quand elles y faisaient encore régner leur loi. Le carcan victorien paraît insupportable mais on le retrouve
parfois avec délices.

Le genre d'institution dont il a été question
plus haut, résidu vivace de la rigidité d'autrefois, n'a jamais étouffé le tempérament vol-
canique de nos filles. En vérité, la prétendue
prude Albion vivait depuis plus d'un siècle
sous une très fausse réputation. La nation
d'Henry VIII a toujours été l'une des plus
paillardes de l'univers ; on a beau lui imposer
le corset du puritanisme victorien, il y a toujours une baleine qui claque.

Dommage seulement que ce genre de cra-
quement, à la rigueur audible dans l'intimité,
puisse être perçu de tout l'univers lorsqu'il
s'agit des *affairs*[1] d'un ministre de Sa Majesté.
Quel scandale ! Mais le fait qu'une dame de
légère vertu ait risqué de faire culbuter le
Cabinet de St. James n'est qu'une illustration
supplémentaire de notre étrange comporte-

---

1. Peut-être faut-il rappeler que, dans ce Royaume où *Public School* est une école *privée,* une *affair* n'est pas une prise de béné-
fice sur la De Beers, mais une liaison. *(Note du traducteur.)*

ment. Il ne saurait y avoir de Profumo sans feu. Et le feu couvait dans nos veines bien avant que Miss Keeler fût née... (Le plus piquant dans cette *affair* où l'une de nos plus ancestrales demeures servit de piscine à des leçons d'amour sous la lune, c'est qu'aux dires mêmes de la jeune personne la plus intéressée, et sans doute la plus intéressante, l'authentique victorien, parmi tous les acteurs, aura été un Européen, non un *British :* le très attaché naval soviétique Eugène Ivanov, particulièrement dur à chauffer selon les révélations de cette allumeuse qui a qualifié ses premières et gauches manœuvres de *Victorian stuff.)*

Les bons bourgeois de Calais ou de Paris qui envoient l'été leurs enfants perfectionner *leur* anglais chez nous devraient toujours se rappeler que le temps n'est pas si loin où un voyageur continental tant soit peu important ne visitait pas une de nos filatures sans se voir offrir en hommage la plus jolie bobineuse.

Neuf fois sur dix c'est donc dans nos *cottages* que vos garçons perdent leur virginité — en gagnant, il est vrai, un bon accent grâce aux tendres personnes du Kent ou du Surrey qui participent à leur initiation. Ce n'est pas mon traducteur et ami P.-C. Daninos qui me contredira, lui qui, après avoir fait mille recommandations à son fils au sujet de certains hommes de nos régions, apprit un jour que, si son enfant s'était égaré du côté de Canterbury, c'était tout de même dans la bonne voie.

Étrange Royaume socialo-princier aussi riche en paradoxes que votre République monarchiste...

Il sera peut-être reconnu un jour par les sociologues de cette époque que, quarante ans à peine avant l'an 2000, les sujets syndiqués de Sa Très Gracieuse Majesté étaient capables tout à la fois de voter au Parlement l'abolition des châtiments corporels dans les collèges et de déplorer leur disparition dans la presse — notamment dans des journaux qui doivent le plus clair, ou le plus douteux, de leurs succès au récit détaillé de festivals de flagellation dans le château tudor d'un baronnet[1].

1. Pas de semaine où les journaux n'annoncent que professeurs, parents, voire élèves se sont réunis pour réclamer le rétablissement des châtiments corporels ; et où le *Times* ou le *Daily Mail* ne publient dans le courrier des lecteurs la lettre nostalgique d'un Major retraité ou d'un ex-disciple de Harrow qui rappelle qu'une bonne fessée n'a jamais fait de mal à personne.

...Capables aussi bien de faire accorder à l'homosexualité ses lettres de créance, sinon de noblesse, par la Chambre des lords qui envoya Oscar Wilde en prison, et de refuser l'entrée de la Royal Enclosure d'Ascot à un divorcé, fût-il lord et pédéraste.

Quant à la légende de la *swinging England* et même du *swinging London,* elle risque de devenir aussi fausse que celle du *Gay Paris.* L'une comme l'autre auront été le fait de damnés étrangers. Ce sont les rédacteurs en chef des magazines de Paris, de Milan et de Bonn qui auront été les plus empressés à faire clicher notre «révolution sociale» sous ses aspects les plus croustilleux en recommandant à leurs reporters : *Rapportez-nous quelque chose de très swing sur le swinging London... Le côté* in, *le côté* out... *Vous voyez ce que je veux dire quoi? Allez!*

Or on peut très bien vivre à Londres pendant huit jours sans voir le moindre morceau d'Angleterre au-dessus du genou. Tout dépend de votre quartier d'élection. Pour saisir l'Angleterre par les cheveux longs et les jupes courtes, rien de tel que Soho, Portobello Road ou

Chelsea, mais il s'agit de quoi? D'un espace qui, malgré la mouvance de ses rondeurs apparentes, ne couvrirait pas la moitié d'un arrondissement parisien ! A cinq minutes de là, en pleine ville encore, la province commence, avec les longs manteaux rouges ou verts des vertueuses ménagères, imperméables aux frivolités et aux vogues éphémères.

Où donc est la vérité dans un pays qui la cache si bien et la montre tellement?

Je regrette d'avoir à dire que la vérité est ailleurs et, au risque de désappointer les Français, qu'il faut aller la chercher non sous les jupes mais, comme vous dites, dans nos *structures*[1], plus exactement dans nos syndicats. Pas très *sexy* et infiniment moins alléchante, elle mériterait, elle, un titre sur huit colonnes:

L'ANGLETERRE A CHANGÉ
DE SOUVERAINS

Le titre est exact, mais, à ma connaissance, aucun hebdomadaire *à sensation* ne l'a jamais

1. En français dans le texte.

imprimé, et je me sens morfondu d'avoir osé
le faire le premier.

Il y a bien eu « révolution sociale » mais la
vraie révolution, sans guillemets ni guillotine,
est celle qui, tout en maintenant la Reine à
Buckingham Palace, a placé sur un trône
invisible les toutes-puissantes *unions*. La tyrannie douceâtre de l'*Establishment* a cédé à la
dictature des syndicats sans l'accord de qui
rien n'est possible, ne serait-ce – M. Pochet l'a
constaté dans un hôtel londonien – que de
faire changer une ampoule défaillante par le
valet de chambre.

Très poli, le valet de chambre lui a déclaré
qu'il ne saurait toucher à ce genre de chose
sans avoir des *troubles* avec le syndicat des
électriciens, lui-même divisé en sept ou huit
sous-syndicats suivant le voltage, ou la spécia-
lité, de ses membres. Et M. Pochet dut attendre
la venue de l'électricien syndiqué.

Encore n'est-ce là que bien peu de chose. Je
sais un constructeur d'automobiles qui a
déclenché une grève dans son usine en rédui-
sant de douze à huit le nombre des équipes de
spécialistes, hautement qualifiés, chargés de

distribuer le thé aux ouvriers de la chaîne. Chaîne qu'un industriel préfère parfois arrêter complètement si un ouvrier a la grippe, tant son remplacement temporaire nécessiterait de tractations avec les *unions* sourcilleuses.

Comme il y a du vrai dans le faux, et que toute affirmation mensongère comporte une part de vérité, je ferai, à ma honte, un *disgusting* aveu : la vraie révolution, pour moi, celle qui a retourné mon sang de Major, c'est la fausse.

Oserai-je l'avouer ? Hypocrite façon d'indiquer que je vais le faire.

Il y a quinze ans seulement, lorsque le hasard diaboliquement guidé de mes pas me conduisait vers une de ces librairies mal famées de Charing Cross Road, bourrées de *french books* exclusivement *made in England,* je regardais subrepticement autour de moi pour voir si personne de connaissance ne remarquait ma présence dans ces lieux maudits et, ayant payé mon dû, fourrais le *Kamasutra* dans la poche de mon macfarlane.

Aujourd'hui je peux feuilleter en toute quiétude le *Précis du Fouet chez les disciples victo-*

riens de Sacher-Masoch ou le *Sexual Behaviour of the British Female*[1] à l'éventaire d'une de ces damnées boutiques : nul ne s'en soucie. Que dis-je ! Je pourrais tenir d'une main le lexique des *Erotic Sex Potions,* de l'autre un de nos petits chaperons rouges en *miniskirt* prêt à se laisser dévorer par le grand méchant loup des Indes — personne ne s'en offusquerait.

Naguère, des individus au regard fuyant s'enfuyaient — comme moi — après avoir empoché dans leur imperméable *L'Amant de Lady Chatterley.* Les mêmes, ou leurs fils, achètent ouvertement l'*Encyclopédie de l'Érotisme* comme s'il s'agissait du *Livre de la Jungle.* Pourquoi s'en cacheraient-ils dans un monde où le sexe omniprésent s'étale partout ? Ces photos équivoques que de louches camelots me proposent encore, la nuit, dans les rues de Pigalle, en battant sous le manteau leur jeu de cartes salaces, deviennent ici tableaux vivants joués au naturel en plein jour. Dans certaines portions de King's Road, des jeunesses de seize ans promènent à l'air tant

1. « Comportement sexuel de la femme britannique. »

d'attraits que le lit même ne saurait plus vous réserver aucune surprise. Nos instincts les plus secrets, précisément ceux que les brimades et les promiscuités des *Public Schools* développaient — et développent — si dangereusement, on les affiche au néon. A deux pas de Charing Cross Road, le jour où je sentis que ma révolution personnelle était faite, un cinéma de Soho annonçait en lettres de feu :

THE TORTURED FEMALE

...« Pour membres seulement[1] » précisait une pancarte en caractères de plus petite taille. Mais il était clair d'après l'apparence de cette salle obscure, qu'en y mettant le prix n'importe qui pouvait y avoir accès. Pour quelques shillings de moins, je me laissai tenter au kiosque le plus proche par l'un de nos plus distingués magazines féminins, *Queen* — très lu par les hommes, *of course*. Sacrifiant à cette mode de la moue qui semble avoir gagné l'univers des cover-girls, il n'hésitait pas à montrer, sur six pages de papier glacé, une nymphette en chemise de nuit ultra-courte et hautes

---

1. *« For members only. »*

guêtres blanches à lacets, jouant les petites filles punies, sous l'œil sévère d'une soubrette à coiffe amidonnée — *nanny* 68, qui tenait en main une baguette dont on distinguait tout juste qu'elle se terminait en plumeau.

Y a-t-il lieu de se récrier ou de constater simplement que nous faisons ouvertement, enfin, ce que nos aïeux firent en cachette ? C'est la question que je me posais il y a peu en passant cette fois avec mon traducteur dans Charing Cross Road et en jetant de nouveau un coup d'œil, que j'eusse voulu négligent, sur les devantures de ces satanées librairies.

Plexus, Sexus, Sadism, Fetichism, Masochism, Variations in sexual Behaviour, Guide to sexology, Kama Soutra, Erotikon, Sexual Behaviour of the British Bachelor, partout le sexe était là pour tenir compagnie au célibataire britannique, provocant, incitant, attaquant. Je me sentis atteint.

Sans trop d'hésitation, je demandai à un libraire :

— Excusez-moi... mais je suis là avec un ami français qui n'était pas venu ici depuis longtemps. Il voudrait savoir depuis quand vous avez installé un éventaire tournant garni de tous ces titres ?

— Je crois bien, nous dit l'homme, que c'est depuis cinq ans. Ça a dû commencer avec l'autorisation de vendre *Lady Chatterley...* Tenez... Vous devriez lire ça, c'est intéressant !

Et, comme il me tendait une plaquette intitulée *Sexual Customs of the French,* il dit en souriant à mon ami :

— En tout cas, vous, Sir, vous n'avez pas besoin de ça !...

Il avait tort. Daninos m'a avoué qu'il avait beaucoup appris en lisant les *Habitudes sexuelles des Français* : il y en avait au moins deux qu'il ne connaissait pas.

IX

LE FRANÇAIS RESTRUCTURÉ

A<small>H</small> ! <small>COMME</small> il me paraît loin, le temps où les Français ne débouchaient que de bonnes bouteilles ! Aujourd'hui, s'ils débouchent toujours, c'est sur de sombres perspectives, sur une crise de la civilisation, sur l'aventure, sur la dictature, sur de nouvelles structures, sur une Europe encore peu mûre – voire sur le vide...

Frightful[1] *!*

Quinze ans... ce n'est que grain infime dans le sablier de notre évolution, et pourtant,

---

1. « Terrifiant ! »

en ce minuscule intervalle, que de changements radicaux... Pardon, que de *mutations non négligeables*[1] ! Comment aurais-je osé, dans mes premiers « Carnets », parler de *sole promotionnelle,* comme votre ménagère idéale du *télex-consommateur,* ou de *discussion sectorielle ?* Je n'en étais alors qu'au tiers provisionnel de mon ascension éducationnelle, tout occupé à me débattre avec vos *faire long feu* ou vos *coupes sombres* qui signifient à peu près le contraire de ce que l'on croit. Ce n'est pas moi, bien sûr, habitué à dire *brigadier* pour un général, *umbrella* pour un parapluie et *terrace* pour à peu près tout sauf une terrasse, non ce n'est pas moi qui vous reprocherai de dérouter l'envahisseur étranger en lui faisant endurer tous vos mots ; nous sommes maîtres en la matière et nous en avons plus que vous. Mais enfin... avouez que vous ne vous défendez pas mal et que, pour saisir certaines nuances chères à la meilleure société :

— Il est con, d'accord — mais il n'est pas bête !

1. En français dans le texte.

...il faut, comme vous dites, se lever de bonne heure.

C'est ce que j'ai toujours fait pour essayer de mieux comprendre. Mais là, franchement, je me sens dépassé. Et je crains que tous mes efforts en vue de parler et d'écrire un français correct — contrariés de naissance par la manie de prendre ma langue entre les dents et par un déplorable accent — ne soient simplement ruinés, tant le peu de français qui me restait m'a paru *old fashioned* et impropre à la consommation.

Comment diable m'y reconnaîtrais-je ?

Lorsque je vous avais quittés, naguère, vos plates-formes n'étaient encore que d'autobus : j'adorais m'y tenir à la rampe, doucement balancé à travers la capitale, comme à la rambarde d'un navire. Hélas ! elles ont quasiment disparu de la R.A.T.P. pour enrichir le vocabulaire politique ou syndicaliste ; loin de me permettre d'exécuter un vol plané en marche arrière pour me laisser mollement chuter sur la chaussée, elles ne servent plus qu'à asseoir des programmes ou à lancer des revendications.

Quinze ans... Est-ce temps que cela? Vos taxis étaient vieux mais pas encore conventionnels. La situation n'était pas toujours bonne: elle ne se dégradait pourtant pas. Comment pouviez-vous déjà tellement discuter sans jamais parler d'engager le dialogue? Il est vrai que si vos hommes d'État faisaient encore avec les nôtres de larges *tours d'horizon,* ils ne pouvaient, ne disposant pas alors d'avion «à géométrie variable», se livrer au *survol de l'actualité.* Peut-être est-ce pour cela qu'elle leur cachait moins de surprises, mais tout de même... quels progrès! En ce temps si proche, vous vous expliquiez: vous n'explicitiez pas. Vous aviez vos motifs, pas vos motivations. Pour me donner rendez-vous, M. de Stumpf-Quichelier prenait son agenda: il ne connaissait pas l'ivresse de consulter son calendrier. Je pouvais garer ma voiture, mais le stationnement n'était pas matérialisé. Un joueur de football faisait tout sottement une belle partie: il n'était pas à même de fournir une excellente prestation. Un jeune champion de tennis répondait aux espoirs qu'on avait mis en lui — mais comment eût-il fait pour *remplir son contrat* ? Et si l'on déplorait en cet âge révolu tant de noyades sur les rives traîtresses du Sud-Ouest, c'est que, comme vient de me l'apprendre très simplement, à la TV, un maître baigneur de Biarritz, l'infrastructure de vos plages était insuffisante.

Vous étiez en vacances sans être vacanciers. Vous faisiez du bateau sans être plaisanciers. Et vos politiciens, s'ils profitaient opportunément de la situation, ne se disaient pas situationnistes.

Le fameux système D fonctionnait à plein, mais vous n'aviez pas encore trouvé le moyen de l'appliquer à la lettre : démythifier, démystifier, désescalader, dépassionnaliser, déplafonner même — et j'en passe qui me dépassent — m'étaient inconnus. Votre ministre de l'Éducation nationale ne parle-t-il pas de *décloisonner le secondaire* comme s'il s'agissait d'un rhinocéros à narines cloisonnées ? L'un de vos préfets assure même qu'il faut *décristalliser le stationnement parasitaire* qui *stérilise la chaussée avec les voitures-ventouses.*

Je crois entendre, sans y voir encore très

clair, que ce langage suractivé participe d'une vertigineuse inclination pour la terminologie technique. A l'époque encore peu évoluée dont je parle, en effet, un casque sèche-cheveux n'était pas encore télescopique, une lessive biologique, la viande surgelée, la farine surprotéinée, les aspirateurs surpuissants, et votre défense tous azimuths.

En un mot comme en huit, le contexte naissait, mais il ne parlait pas. Je ne sais s'il faut chercher là des causes conjoncturelles, mais il est clair que vous viviez encore une ère de langage sous-développé, où, le maquereau n'étant pas encore promotionnel, le porc eût été bien incapable, le pauvre, de prendre une option.

J'exagère ? *Nenni,* comme vous n'oseriez plus dire. Car j'en ai sous les yeux la preuve irréfutable : l'option, forme moderne du choix, l'option que l'on chercherait en vain dans Voltaire et même dans Valéry, l'option dont Louis XIV eût fait des gorges chaudes — il est vrai que ce monarque se mêlait de gouverner la France sans *structures* ni *fourchette* et l'on est en droit de se demander comment

la France a bien pu s'en passer de Charle-
magne à Clemenceau — l'option a gagné vos
campagnes. Sans doute était-il à prévoir que,
sous le déluge d'options dont les accablaient
politiciens, syndicalistes, technocrates et péda-
gogues, un jour, elles n'auraient plus le choix.
Dans l'important quotidien *Ouest-France,* sous
la rubrique «La terre de chez nous» et à
propos d'un congrès d'éleveurs, j'ai lu:

«*Le porc blanc de l'Ouest est à une période
de sa carrière où il doit prendre des options
qui engageront son avenir pour les prochaines
décennies.*»

Ma première réaction, je l'avoue, a été de
fierté. Pour vous. Comme si j'étais déjà Français. Car enfin, comment n'être pas fier d'appartenir à un pays où les porcs sont suffisamment évolués pour être à même de prendre,
entre deux truffes, une option?

Rien ne paraît mieux asseoir le règne de
Sa Majesté l'Option, hier encore apanage des
technocrates et des politiciens, que cette
promotion paysanne, que dis-je? animale. Mais
comment ne pas déplorer que cette fille de
choix coure les rues jusqu'à se laisser abuser

par des individus sans scrupules qui commettent avec elle les mêmes irréparables fautes qu'avec sa sœur aînée Alternative?

J'étais en voiture, l'autre soir, avec M. Taupin, lorsque les hasards de l'antenne nous firent pénétrer au cœur d'un de ces débats organisés à propos d'une question d'actualité, et au cours desquels les auditeurs peuvent s'entretenir par téléphone avec la personnalité du jour. La première voix que j'entendis fut celle d'un jeune homme qui, ayant avoué vingt-cinq ans, déclara:

— Deux options se présentent à moi...

Sans être doué de double vue, on pouvait deviner que ce garçon avait été présenté de fraîche date à S.M. l'Option et n'était pas rompu à son maniement. En disant deux options, il entendait deux solutions possibles, ou une alternative, alors qu'en l'occurrence $2=4$. Qu'à cela ne tienne... En cette époque de surenchères verbales, on n'en est pas à une option près. De quoi s'agissait-il pour que ce jeune homme, apparemment élevé au lait de l'E.N.A. — à moins qu'il ne suçât encore le biberon des Sciences Po — fît montre d'une telle perplexité ? D'une *prise de conscience* politique ? De sa carrière ? De *planning* familial ? Non : d'un voyage au Canada, et voici comment le jeune homme exposa ses hésitations :

— Ou j'y vais avec un voyage organisé, et en ce cas n'ai qu'à me laisser guider, mais n'est-ce pas courir le risque de perdre mon autonomie *(sic)* ?... Ou j'y vais seul, mais n'est-ce pas risqué, ou risquer de rater quelque chose ?...

Affreux dilemme ! Sacrée option ! Quand je pense qu'aujourd'hui la Sécurité sociale, Europ-Assistance ou Préservatrice-Loisirs offrent au hardi voyageur des remboursements de toute nature couvrant le bris de lunettes en autocar conventionnel ou la fracture de tibia en haute montagne (si du moins l'on ne s'est pas aventuré *hors des sentiers battus,* seuls couverts par le contrat), un voyage tel que j'osais en faire tout seul à dix-huit ans — sans hésiter pour cela à prendre un passage de pont entre Southampton et Le Pirée — m'apparaît rétrospectivement plein de périls. Je suis heureux de savoir que ces risques sont

enfin *couverts par prestations* et que les jeunes
gens d'aujourd'hui peuvent voyager les yeux
fermés avec l'assurance-vieux-routier-forfai-
taire. Tout de même... mon tempérament indi-
vidualiste s'insurge et je veux espérer qu'à
l'heure où ces lignes sont écrites (sans la
moindre garantie de publication ni de règle-
ment) notre Ulysse-Optionnel aura penché
pour la plus périlleuse solution. Si j'ai rap-
porté ces trois minutes d'antenne, c'est
qu'elles prouvent combien le vocabulaire
suractivé de la technologie moderne profite
à vos jeunes gens dès leurs premiers balbu-
tiements[1]. Et je ne saurais trop admirer que,
sur tant de lèvres entraînées, dès l'âge le plus
tendre, à réciter, dans le courant d'une onde
pure, cotillon simple et souliers plats, fleurissent spontanément l'optionnel, le sectoriel
et les infrastructures.

ℜ

1. A nos adultes aussi, il est vrai. A preuve la circulaire d'une
firme spécialisée dans la gestion de sociétés. « *La recherche et la
sélection des Cadres,* lit-on, *sont affaire de spécialistes seuls
capables d'étudier le poste à pourvoir et de définir le profil optimum
de celui qui devra l'occuper.* » Être cadre, c'est déjà bien, mais avec
un profil optimum, c'est du *gâteau.*

Les difficultés que j'éprouve à franchir le mur du son, lorsque je veux voler de mes propres ailes dans votre nouveau ciel de mots, m'apparaissent chaque jour plus nombreuses.

J'en ai eu la preuve hier encore. Étant allé à l'agence de la Société Générale où j'ai mes habitudes (on remarquera en passant que, parmi toutes les banques, j'ai «pris» celle qui, par son nom, rappelle le plus les étoiles du Guide auquel j'ai promis allégeance), j'y demandai M. Ballandois, auquel le plus souvent je m'adresse:

— M. Ballandois? Je regrette, me dit un de ses collègues... Il est en train de se faire recycler à Barbizon...

On voudra bien me pardonner — et me croire — si, à ce mot, je vis M. Ballandois en petite culotte pédaler derrière un moniteur vélocipédiste en forêt de Fontainebleau. Je me trompais. On me l'apprit. M. Ballandois n'était pas à Barbizon pour y faire de la bicyclette ou prendre l'air, mais pour subir, dans un hôtel transformé en *séminaire,* une de ces *mutations* chères à cette époque de métamorphoses techniques. M. Ballandois était en période de mue : il importait qu'il fût *mis au parfum,* comme vous l'avez dit quelque temps dans votre très policé langage, de la nouvelle terminologie appliquée notamment aux prêts à terme, aux importations étrangères, à la mobilisation des créances des exportateurs français et au pré-financement des marchés extérieurs. En bref, il s'*alphabétisait* en rééduquant ses réflexes automatiques de langage ; il se ressourçait en déconnectant sa conscience[1].

Je demeurai un instant ébranlé, et comme paralysé au seuil d'une jungle apparemment impénétrable dont les oiseaux n'eussent plus parlé le langage que je leur connaissais. Mais si le *recyclage* de M. Ballandois me cloua d'abord sur place, il me redonna très vite du courage : puisqu'un Français de trente-trois ans, sous-directeur d'agence à la Société Générale, et bien noté de ses chefs hiérarchiques, devait subir un recyclage dans une de vos belles forêts séminarisées, ma reconversion s'imposait encore plus.

1. J'y viens, non ? *(Note du Major.)*

Voilà pourquoi j'ai décidé presque aussitôt de suivre, dans un autre de vos sous-bois tout aussi romantique[1], un cours d'initiation à la *Sémantique générale* (avouez que ce mot tantôt qualificatif, tantôt substantif, ne cesse de revenir dans vos appellations : secrétaire général, administration générale, président-directeur général – la France est vouée au général). Spécialisée dans le *recyclage* des individus normalement constitués, la *Sémantique générale (méthodologie non aristotélienne) apprend à voir plus juste, plus vite, plus loin* et n'y va pas par quatre chemins : elle propose une NOUVELLE ATTITUDE DANS LES AFFAIRES HUMAINES (j'ignorais que, pour un homme, il en existât d'autres, mais c'est tout à fait ce qu'il me faut).

Je m'initie donc aux mystères des définitions *intentionnelles* et *extensionnelles,* je prends garde aux *perceptions habituelles* trop *partielles* ou à la *rigidité des catégorisations,* je me méfie des *réactions-signaux.* Pourquoi me sentirais-je noyé dans tous ces termes puisque la *Séman-*

---

1. Louveciennes.

tique générale, prenant ma défense contre la *grammaire abusive,* est là pour m'empêcher de me laisser prendre au *mirage des mots*? Comment? En cherchant leur *signification non dans les mots eux-mêmes, mais dans la personne qui les utilise (principe de multi-ordinalité).* J'ai d'autant plus de chance d'en sortir que les ouvrages fondamentaux du créateur de la Sémantique générale, Korzybski, écrits comme son nom l'indique en anglais[1], *n'ont pas encore été traduits.*

Décidément, même à Louveciennes, il n'y en a que pour les étrangers. Et je suis bien mal venu à protester. Car enfin, si M. Taupin se plaint parfois du français actuel au point qu'il prétend y perdre son latin, moi j'y glane mon anglais.

Force m'est ici de reconnaître que les Anglo-Saxons font tout pour compliquer la situation et porter un mauvais coup à votre belle langue déjà menacée par le jargon technique.

Au début j'avais mis tout cela, une fois de plus, sur le compte de votre amour du para-

1. *Science and Sanity, Manhood of Humanity. (Note de l'Editeur.)*

doxe. Ces Français, me disais-je, sont uniques !
Leur Guide, Perrichon à l'échelle internationale, traverse le trottoir pour ne pas avoir
à saluer le duc d'Edimbourg ; les G.I.'s, soudain honnis, sont reconduits avec empressement aux frontières d'un pays où ils avaient
dû pénétrer par effraction en 1944 ; le gouvernement omet de se faire représenter à Vimy
pour y célébrer le souvenir de 60 000 Canadiens qui, pour vos beaux yeux, fermèrent à
jamais les leurs ; on fait souffler sur tout le
pays un vent insidieux d'antiaméricanisme
en expliquant que la civilisation américaine
représente un péril mortel pour le génie latin
— et c'est ce moment-là que les Français
choisissent pour s'américaniser à plaisir.

S'anglo-saxonniser même, car, sans parler de
drugstores, n'a-t-on pas fait pousser un *pub,
yes,* un *Churchill Arms Pub,* à deux pas de
l'Étoile ? Et ne suis-je pas obligé de faire
parfois trois kilomètres à pied pour retrouver
une de vos chères vespasiennes en voie
d'extinction ?

Non ! Tout cela était trop beau, trop laid,
trop extravagant pour être vrai, ou du moins

naturel. Il y avait du louche. Et je sentais bien la main subversive de l'étranger. Qu'un P.D.G. comme M. de Stumpf-Quichelier panache son vocabulaire de telle sorte qu'il a l'air de me servir un cocktail — *« Ce matin j'ai fait du brain-storming pour le lancement d'automne... C'est très utile. A propos vous savez que James est devenu un très bon adviser ? J'ai comme un petit feeling qu'il ira loin ! »* — bon, je veux bien, si cela peut l'aider à vivre... Mais que tout un peuple en vienne par inclination spontanée à préférer le living à la salle de séjour, le job à la situation, l'impact à l'incidence, l'*attaché-case* à la mallette, qu'il s'amourache de gadgets, qu'on le tente par une rôtissoire multicook, une cuisinière jet-gaz, une lessive au dermasoft, qu'il laisse ses enfants extérioriser librement leurs complexes en bluejeans selon le style campus, sacrifie toujours davantage aux rites du relax en polo shirt, et installe pour Noël autant de sapins électriques à Paris qu'à Manhattan, non ce n'était pas possible. C'eût été mal connaître les Français que de croire qu'ils suivaient d'eux-mêmes cette pente fatale. Comme s'il pouvait être dans leur penchant de s'éprendre de posters, de badges, de hit parades, de show business, de twin sets ou de whisky – que dis-je ! de Byrrh *on the rocks ! On les y forçait.* Quoi ! Ces Américains grands enfants, un peu primaires sur les bords, ces Anglo-Saxons hypocrites, vous leur prendriez tout comme s'il vous manquait quelque chose ? Allons donc ! Pour vous contraindre à imiter leurs magazines, à faire du shopping, du nervous breakdown, du planning, du marketing, il fallait un pouvoir occulte.

Une enquête poussée m'a prouvé que, derrière tout cela, il y avait les Services secrets américains. Seule une telle organisation pouvait vous faire avaler de force les mots-dans-la-bouche des bandes dessinées, passer des tests, et fréquenter les drugstores au détriment de vos cafés nationaux. Pour en savoir davantage, je suis allé voir le colonel Donovan B. Curtis, un des as de la Force de Persuasion américaine. Chef du réseau Nylon qui prit la France dans ses mailles, il s'est illustré en obligeant deux Gaulois, Jean-Philippe Smet et Claude Moine, à s'appeler Johnny Hallyday et Eddie Mitchell. Intolérable !

— Il faut bien dire, m'a confié le colonel, que nous sommes aidés ici par une cinquième colonne très agissante.

Et de me révéler que la prochaine attaque U.S. (comme on vous fait écrire maintenant) serait à base de super-astringents. Ce n'était là, à vrai dire, qu'une diversion. L'hexagone serait assailli plus durement par de nouvelles vagues de bandes dessinées, des commandos d'ordinateurs, des hordes de machines à copier (les inventions françaises naturellement). Les troupes de couverture — un bataillon de cover-girls de choc — étaient fin prêtes.

— Nous avons déjà contaminé 75 pour 100 des produits français ! me dit le colonel en me tendant des journaux de chez vous où pullulaient les annonces polluées : eau de toilette *After shave,* soutien-gorge *O'Yes,* fond de robe *Exciting,* popeline *Daffodil,* costumes *slim line,* etc. Seuls nous résistent encore la Marquise de Sévigné et vos nobles crus. Mais déjà la glorieuse Bénédictine assure sa publicité par le truchement de John Fatsbury *(de l'Université de Syracuse)* et votre Chartreuse parle de drinks !

J'aurais dû m'en douter : il y aura toujours des collabos. J'en ai eu une nouvelle preuve l'autre soir à Orly. Un Français accompagnait un étranger à son avion — encore un jet ou un Boeing sans doute ! En lui faisant ses adieux, il s'écria :

— Et vous savez, n'hésitez pas, mon vieux : vous pouvez revenir ! Vous serez toujours le bienvenu, quoi qu'on dise !

Le tout sur le ton de quelqu'un qui n'a pas peur de dire haut ce qu'il pense. En d'autres temps, il aurait pu s'agir de quelque ennemi héréditaire. Mais, on l'a deviné, c'était à un Américain que ce Français disait au revoir.

X

VOUS ÊTES FORMIDABLES !

Du chef de l'État au contractuel interviewé, en passant par l'intellectuel colloquant, la télévision a soumis les hommes à sa loi et accentué leur tendance naturelle au « numéro ». C'est à se demander si, à l'époque des fusées interstellaires, nous ne vivons pas une ère de camelots.

Camelot royal, camelot sportif, camelot syndicaliste, camelot courant — toutes les espèces de camelots fleurissent en ce siècle atomique et bonimenteur où les princes, soudain doués d'ubiquité, font du porte-à-porte chez cinquante millions de particuliers

à la fois, entrent dans la salle à manger des
Pochet pour leur parler familièrement des
affaires de la France et réussissent, par la vertu
scintillante d'une boîte magique, à rendre le
peuple le plus récalcitrant sage comme une
image.

Il était normal qu'une telle invention décu-
plât chez les Français leurs possibilités d'acteurs. J'y songeais un soir où le président de la
République disait son avenir à la France
assise, tout entière suspendue aux lèvres de
l'oracle.

L'orateur avait une nouvelle fois sacrifié
aux rites de l'écran. Condamné à une réclu-
sion momentanée, maquillé, l'œil de braise
lançant des éclairs de Jupiter tonnant, il était,
ce tout-puissant, l'esclave de la Déesse. Sa
prodigieuse mémoire, sa faculté d'enchaîner
sans notes des pensées parfois complexes, un
certain magnétisme, font de lui un vrai télé-
président. Comme on le dit des acteurs, il a
de la présence — et l'on sait maintenant
qu'il est prêt à la prolonger. En un demi-
siècle, je vous ai connu au moins trois prési-
dents que la Déesse aurait éliminés sans

rémission, pour disgrâce physique ou gau-
cherie dans l'allure. Celui-ci est un auteur-
acteur-producteur de premier ordre. Il l'a
prouvé ce soir-là, se montrant tour à tour
roi du suspense — pendant soixante-quinze
secondes, la France a pu se demander si,
après qu'il en eut « assumé » la conduite,
il n'allait pas la laisser rouler toute seule — ;
excellent représentant : si vous n'adoptez pas
mon système, vous aurez les pires ennuis,
même avec celui de mes filiales ; cajoleur :
« Vous me connaissez bien, après tout ce que
nous avons fait ensemble » ; orateur tradi-
tionnel rompu au maniement du jacassin
politique et du vocabulaire routier : la France
« roulant à l'abîme » tandis que, bien entendu,
« le monde entier », qui n'a que ça à faire,
la regarde, trop heureux ; persuasif pour enlever le morceau : « J'espère... je crois... JE SAIS »
(avec un clignement d'yeux digne de Mounet-
Sully) que vous serez avec moi. » 19 sur 20.
Moins bon que certain imitateur sans doute,
mais qui pourrait nier l'influence profonde
qu'un simple disque de comédien aura pu
exercer sur la diction d'un président de la

République? Plus de chuintements, plus de « naturellement » chevrotants, plus rien qui puisse donner lieu à critique — ou à disque.

҉

Ce grand art, à quels échelons devons-nous descendre pour le voir pratiquer avec plus ou moins de bonheur?

Well... chacun fait son numéro avec ce qu'il peut — fait divers, cataclysme, record, greffe du cœur. Chacun personnalise l'événement et commande aux auditeurs le recueillement, l'hilarité, l'indignation. Un psychiatre dirait sans doute qu'il y a transfert. Transfert du reporter qui commente les obsèques d'un chef d'État comme s'il était Bossuet prononçant une oraison funèbre. Transfert de l'animateur d'un jeu télévisé qui, ayant embarrassé le candidat en lui demandant le nom de « l'arc d'ogive parallèle à l'axe de la nef », annonce, après consultation d'une fiche: *le formeret, monsieur!* comme s'il avait appris ce mot avec l'alphabet. Transfert de la modeste speakerine qui, réduite à lire le bulletin météorologique, épouse l'humeur des éléments : enjouée si elle a à faire part de *belles éclaircies,* c'est sur le ton réservé aux messages de condoléances qu'elle annoncera une profonde perturbation pluvio-orageuse *intéressant* l'ensemble du territoire.

Là encore, pour moi, quel programme ! Si j'étais un jour digne d'être des vôtres, comment ne me sentirais-je pas tenu, par une longue éducation, d'observer, à l'égard du domaine atmosphérique, la stricte neutralité de la B.B.C. ou de Radio-Lausanne ? Il est vrai que mon accent me tiendra toujours éloigné de ce genre d'emploi. Heureusement : jamais je n'oserais, comme votre speakerine, doter le soleil de mouvements de caractère très personnels : *levé dès 4 h 49 l'astre refusera de se coucher avant 20 h 56*[1].

Jamais non plus je ne posséderai l'aisance du commentateur des actualités qui, pour « enchaîner[2] », fait ses choux gras du mauvais

1. *Sic,* comme vous dites : rien de ce qui paraît ici invraisemblable, et en italique, n'est inventé. *(Note du Major.)*

2. L'art de la transition, spécifiquement français, atteint ici ses sommets. J'ai entendu, à la fin du Journal télévisé, l'homme de la Bourse profiter de la dernière image des sports (un athlète soulevant à l'arraché 180 kilos) en disant que *les valeurs françaises auraient bien besoin d'un haltérophile pour soutenir leurs cours.*

temps comme du beau fixe. Le ciel est-il radieux ? *« Eh bien, en ce dimanche où le soleil brille, nous allons essayer de vous donner des informations aussi ensoleillées que possible... »* La météo est-elle pessimiste ? Le présentateur se fait un jeu d'étendre les intempéries à la politique : l'orage gronde sur la Tchécoslovaquie, l'horizon est toujours bouché au Vietnam, le Marché commun est frigorifié, la tempête fait rage sur le Biafra.

A chaque séquence sa musique ou sa lancinante musiquette. Au royaume de l'intelligence, le fond sonore doit accompagner l'information aussi subtilement que le commentaire. Il y a ainsi un fond musical catastrophique pour inondations aux U.S.A., endiablé pour *feria* de Séville, grave pour marche des Noirs en Alabama, dramatique pour guerre au Vietnam. Tout cela, j'imagine, doit être étiqueté dans des boîtes de fond ou des fonds de boîtes *(carnavals, cataclysmes, combats)* et je suis surpris qu'il n'y ait pas plus de confusions. Pimpante ou tragique, la musique s'atténue pour faire place à la voix du présentateur, qui prend lui-même un ton de circonstance et ne saurait changer de sujet sans avoir satisfait au besoin de la transition : « *Maintenant, si vous le voulez bien, nous allons passer à un sujet infiniment plus grave, hélas !...* »

Contrairement à ces sauvages de journalistes anglais ou américains qui obéissent à la règle toute-puissante et brutale du *où ? quand ? comment ?* le Français, à la pointe de la civilisation, ne saurait laisser l'information sortir toute nue sans être accompagnée. Il l'habille. A défaut de la peau d'ours qu'il faut se garder de vendre trop tôt en l'absence d'informations supplémentaires ou de ces ballerines invisibles dont il la chausse lorsque la prudence commande d'*y aller sur la pointe des pieds* ou de *marcher sur des œufs,* il la coiffe presque toujours d'un *Eh bien...* Au lieu de dire simplement, par exemple, *les troupes soviétiques sont entrées cette nuit à 0 h 37 en Tchécoslovaquie,* il dira d'abord, ayant avant tout le souci de paraître aussi grave que la situation : *Eh bien ! c'en est fait ! Le printemps tchèque a brusquement cédé la place à l'hiver soviétique...* Préambule élégant qui pare le titre sec d'une manchette — et vaudrait à ses homologues anglo-saxons d'être immédiatement remerciés par la direction.

La façon d'habiller la nouvelle peut aller jusqu'au travesti complet, notamment quand le commentateur fait, d'instinct, entrer la France dans une affaire d'où elle était absente. Le Premier soviétique et le président des États-Unis se rencontrent à Glassborough. Apparemment la France n'y est pour rien. Mais sur le chemin du retour, M. Kossyguine, s'arrêtant à Paris, rend une visite de politesse au président de la République. Traduction très personnelle du commentateur: «M. Kossyguine va *rendre compte* au général de Gaulle de ses conversations avec le président Johnson.»

⚜

Quoique ce transfert quasi nationaliste des désirs instinctifs du commentateur aux réalités de l'information constitue une espèce de record, tous les records sont battus dans le domaine du sport. Que dis-je — battus? *Pulvérisés*. Car, en cette époque de superlatifs, on ne bat plus, on pulvérise.

Il est grand temps de détruire la légende selon laquelle les Anglais sont rois dans le sport. Vous êtes devenus bien plus forts que nous.

Nos commentateurs, pour commencer, sont absolument nuls à côté des vôtres. Quelle expérience des grands championnats de tennis ne faut-il pour s'écrier à l'écran, après une double faute d'un champion australien en finale de Wimbledon : «*Ah non, mon petit ! On ne sert pas comme ça !*» ou, à propos d'un passing-shot manqué : «*C'est pensé par un renard mais exécuté par un percheron !*» Jamais un journaliste anglais n'oserait adopter ce ton protecteur à moins qu'il n'ait déjà lui-même été en finale du championnat du monde — et, à ma connaissance, nous ne possédons pas ce genre de phénomène.

Vous, si. Et dans tous les domaines. Aux championnats d'Europe de natation à Utrecht, le commentateur de votre T.V. donnait des signes dramatiques d'épuisement : «Attention ! *Nous avons* encore 400 mètres à parcourir !» On aurait juré qu'il télécrawlait avec l'équipe de France. A l'arrivée, il s'étranglait : «*La *crainte nous tenaillait le cœur! Nous en trem-blons encore!»* S'agit-il de cyclisme? Vos hommes sont toujours là, pédalant pour le Tour à la première personne du pluriel, tel ce chroniqueur qui s'est publiquement exclamé: *«Biquet, mon vieux, pourquoi n'avez-vous pas comme tout le monde changé votre boyau? C'est sept minutes que vous avez gas-pillées dans un moment de douleur et de peine que nous partagions, nom d'une bicyclette!»*

J'ai retrouvé vos infatigables reporters ubi-quistes à Grenoble, pour les Jeux Olympiques d'hiver où, à en juger d'après leurs commen-taires — *«Elle descend bien gentiment... Ça n'est pas mal du tout!»* — j'ai bien senti qu'il ne pouvait s'agir que de champions chevronnés. D'ailleurs, en entendant un peu plus tard les essoufflements pathétiques de certain roi du micro, atteint d'extinction de voix au moment de parler hockey, on pouvait se demander qui, de ce héraut ou des hockeyeurs, était le plus méritant — et si, dans l'avalanche de médailles recueillies par la France, il n'y en aurait pas une pour lui.

Voire pour Pochet: à la fin de ces Jeux

mémorables où les médailles françaises bril-
laient d'un tel éclat que, même de bronze,
elles faisaient pâlir l'or des étrangères[1], il
paraissait tout auréolé.

Qui pourrait nier qu'il avait, lui aussi,
participé ?

J'en fais de nouveau amende honorable :
si j'ai jamais pu dire des Français qu'ils étaient
moins sportifs que nous, je retire. Je ne savais
pas, simplement, que tout un peuple peut
devenir champion en dix ans. Et avec quelle
facilité ! Comme vous dites : dans un fauteuil.
Naguère, pour être qualifié de *sportsman,* du
moins par la presse, il fallait tout de même
être assez agile pour prendre place, parfois
d'assaut, et au grand air, dans une tribune de
Longchamp ou de Colombes. Aujourd'hui,
grâce à la télévision, qui amplifie tout, les
dizaine de milliers de *sportsmen* sont devenus
dix millions. On ne saurait donc nier les progrès du sport en profondeur, fût-ce celle d'un
canapé.

---

1. A la suite de certaine course, le speaker ayant longuement
souligné les mérites d'Annie Famose, troisième et médaille de
bronze, parla plus brièvement de la Canadienne Nancy Greene
qui, « *il faut tout de même le dire, a eu la médaille d'or* ».

La France entière court avec les jambes de
Jazy, crawle avec Claude Mandonnaud, se met
sur le dos avec «Kiki» Caron, dévale les
Andes avec Périllat, grimpe le Galibier avec
Poulidor, dribble avec Kopa, saute la ban-
quette irlandaise avec Jonquères d'Oriola et
s'accroche au Dru avec les sauveteurs de
Chamonix.

J'exagère? Comme je demandais un jour à
Pochet s'il était libre le samedi suivant:

— Ah! non, me dit-il, à trois heures, *j'ai*
France-Écosse!

La meilleure preuve qu'il prend une part
active à l'affaire en quittant son foyer pour
aller voir un match, c'est qu'on le félicite de
sa performance: «*Le public n'a pas été bon,
il a été TRÈS BIEN!*» s'est exclamé le reporter
de la T.V. à la fin d'un match de football — et
je sais une agence de voyages qui, se mettant
à l'heure de ce monde assuré tous-risques dès
le berceau, mitonne pour les prochains Jeux
un forfait *spécial-sportsman* avec vin compris
et réduction de 10 pour 100 si la France n'a
pas obtenu une seule médaille d'or.

En attendant, Grenoble a vengé Pochet des

humiliations de Tokyo, car s'il n'hésite pas, sous les prétextes les plus divers, à faire dispenser sa fille de gymnastique, il avait trouvé inadmissible que la France eût besoin d'un cheval pour enlever une médaille d'or aux Jeux Olympiques. Et sa mémoire résonne encore du lamento des reporters devant les courts-circuits japonais dont les escrimeurs de France avaient été victimes au fleuret électrique : « *Trois geishas viennent remettre les médailles aux lauréats. Elles portent des kimonos aux couleurs chatoyantes. Ah ! comme elles nous paraîtraient plus chatoyantes encore si notre médaille était d'or !* »

Il n'est donc pas excessif d'écrire qu'à l'instant où le gouvernement décida de décorer Killy de la Légion d'honneur, toute la France se sentit décorée avec son champion. Pochet, les jambes encore agitées de tremblements après la vertigineuse descente, dissimulait mal sa fierté. Le Premier Ministre, lui, ne la cachait pas : « *Je suis fier de lui* », dit-il comme Napoléon d'un grognard. Pratiquant le transfert à l'échelon national, le chef du gouvernement n'hésita pas à déclarer :

— Lorsqu'une nation est en forme, cela se traduit dans tous les domaines !

Et de nous envoyer, au passage, une de ces bottes bien ajustées en notant que *« cette fureur de vaincre qui était naguère l'apanage des Britanniques »* animait enfin les Français. Quelle différence entre la France d'aujourd'hui et *celle de quarante années de longueur* ! Il était bien évident que si les Français, trop longtemps, n'avaient pu donner leur mesure dans les Jeux Olympiques, c'est qu'ils étaient minés par les jeux des partis.

Comment ces déclarations[1] ne m'eussent-elles pas convaincu ? Je le suis, même rétrospectivement : si une équipe française a pu remporter pour la première fois la Coupe Davis en 1927, malgré la IIIe République avachie, c'est que ses Mousquetaires avaient prévu, sans le dire à personne, l'avènement de la Ve. Leur « fureur de vaincre » était prémonitoire.

❦

---

1. Faites à *L'Équipe*.

Qu'ils félicitent Killy d'être premier Français en descente malgré ses ascendances irlandaises, ou leur confrère aphone d'avoir surmonté sa peine pour la gloire du hockey, les hommes de piste de ne pas ménager leurs efforts ou les femmes d'être si jolies en bord de piste, les championnes d'avoir bien voulu venir au micro malgré leur fatigue ou le soleil d'être de la partie — sinon de la patrie — les commentateurs de la T.V. ne font, en somme, que sacrifier à un rite magnifié par le petit écran : celui de l'autosatisfaction.

Depuis son n° 1, qui trouve toujours moyen de se féliciter de quelque chose, jusqu'au plus anonyme des téléspectateurs que l'on félicite d'avoir situé Rio de Janeiro au Brésil et non en Argentine, la nation entière marche au bravo comme une locomotive au mazout.

Un monsieur réussit-il à faire cinquante mètres sans tomber avec un sac de sable sur le dos ? *« Il faut l'encourager, car c'est un exploit peu banal ! Bravo, monsieur ! »* La France est-elle battue par les All Blacks ? Bravo, les All Blacks, *mais bravo aussi la France ! Car* — votre T.V. *dixit — nous avons été battus mais ce n'est pas une défaite!* Les secouristes font-ils une démonstration de leur métier de secouristes? Bravo, les secouristes! Un moto-cycliste apporte-t-il un film à temps pour être projeté? Bravo, les motards! Bravo, l'Aronde! Bravo, la France!

C'est fou le nombre de choses dont vous pouvez vous féliciter: le président de la République se félicite de voir les journalistes être venus l'écouter si nombreux. Les munici-palités se félicitent de pouvoir accueillir le président de la République. Les reporters félicitent les municipalités de l'accueil qu'elles ont su organiser. J'ai entendu, fin août, le présentateur du Journal télévisé féliciter ceux d'entre les Français *qui étaient encore en vacances...* J'ai même entendu un candidat à la députation féliciter quelqu'un d'être Auver-gnat — et l'Auvergnat se féliciter de l'être. Depuis que je me demande «Comment peut-on être Français?» cette petite boîte m'aura appris, mieux que des années de coexistence, combien est encore développé chez vous le côté *Comment peut-on être Persan?* Traduction à la TV par une Française propriétaire d'un appartement en Espagne, trouvant *la mer, le soleil, tout très bien et les gens très gentils, mais leurs heures pour les repas et les magasins, ça alors... impossibles :*

— Et puis... y a rien à faire pour les changer. C'EST NOUS QUI FAUT QU'ON S'HABITUE !

Il n'est pas permis d'être Espagnol à ce point-là !

⚜

Quand on ne se félicite pas, on se remercie. Pour rien, pour tout, pour n'importe quoi, par le prénom, par le nom, au nom du peuple français. « *Au nom de la France sportive, mon cher Paul, je te remercie ! Il ne faut pas avoir peur des mots : tu as fait un grand match ! »* Ainsi un chroniqueur exalté remercie-t-il à l'écran un joueur de rugby. S'ils n'ont pas de champion — ou de vedette d'un autre genre — à remercier, les reporters se remercient entre eux. « *Merci, mon cher Maurice, de ce très brillant commentaire ! »* Un spécialiste du turf arrive tout essoufflé en haut de la tribune de Longchamp — *d'où j'ai l'honneur de vous saluer* — pour décrire le Grand Prix, c'est déjà un petit exploit ; il y a, dans son halètement, du Borotra de la belle époque, et l'on a envie de lui jeter l'éponge quand le bras secourable d'un confrère se tend vers lui : *Ah ! merci, mon cher Victor, de bien vouloir me passer la cote !* J'ai cru une seconde, tant la chose paraissait importante, qu'il allait remercier au nom de la nation tout entière. Le départ de la course est donné : le commentateur remercie le camera-man — en citant ses nom et prénom — de bien vouloir diriger son objectif vers l'objet du commentaire : chevaux qu'il félicite de leur *prestation* ou élégante qu'il félicite au passage de son élégance. *Merci, chère madame, vous êtes bien jolie !* Enfin il remerciera la pro-priétaire du gagnant de bien vouloir dire quel-ques mots au micro — en la félicitant d'avoir su trouver son chemin dans une telle foule !

L'Angleterre passe pour un pays poli, mais jamais je n'y suis remercié par la télévision comme en France. Chez vous on me remercie à tout instant : d'être là, d'y rester, de mon attention, de bien vouloir la prêter, d'avoir su la garder *jusqu'au bout*. Et comme si cela n'était pas suffisant, on me souhaite bon appétit, bon après-midi, bon week-end. L'année entière y passerait. J'ai l'impression que le speaker a un mal fou à se séparer de moi et je m'explique mieux, maintenant, pourquoi les Français ont passé à peu près un siècle en deux mille ans à se dire au revoir sur le seuil de leurs portes. Cela va du *Madame, monsieur, mademoiselle, merci de nous avoir prêté attention, bonsoir!* au *Je vous remercie de votre attention. Il ne me reste plus qu'à vous souhaiter une bonne soirée, une bonne nuit, un bon dimanche, bonsoir et merci!*

Je jurerais que cet ange gardien à lunettes, téléveillant sur la France, va pénétrer nuitamment dans mon hôtel pour me border. Trop aimable.

Vous pouvez le dire : vous êtes vraiment formidables ! Impossible n'est pas français ! La France épate l'Angleterre ! Allez, je vous quitte. Au revoir et merci. Merci d'être venus jusqu'ici. Merci *very much !*

TABLE DES MATIÈRES

Imprimé en France
par Brodard-Taupin
Imprimeur - Relieur
Coulommiers - Paris
43/8916/2-01-x-1968
Dépôt légal n° 367
4e trimestre 1968.
23 - 21 - 1738 - 01

23/1738/6